Comme au Château

Jean Soulard

Produit par

Jean Soulard

Chef exécutif

Le Château Frontenac

1, rue des Carrières

Québec (Québec) G1R 4P5

Tél.: (418) 692-3861

Fax: (418) 692-1751

Photographies

Louis Ducharme

assisté de Geneviève Simard

Graphisme

Jacques de Varennes

Vox Stratégie et Créativité

Dépôt légal:

2e trimestre 1997

Bibliothèque nationale du Canada

Bibliothèque nationale du Québec

ISBN 2-9804733-1-6

Imprimé au Canada

© Jean Soulard

Tous droits réservés

Du même auteur: La santé dans les grands plats

aux Éditions Anne Sigier

À Catherine

Préface

Que dit-on dans une préface ? On en dit souvent trop, alors soyons brefs...essayons...

J'ai commencé mon métier en cuisine il y a longtemps, à l'époque où on chauffait les « pianos » au charbon. Les cuisiniers faisaient une consommation de jus de raisin fermenté...absolument stupéfiante... et, dans un décor apocalyptique, créaient souvent de grands plats.

J'ai travaillé pour et côtoyé au fil des ans un nombre impressionnant de chefs : des moins grands et des grands. Jean fait partie de ces derniers. Il est, je crois, le plus poétique des chefs que j'ai connus et son livre met cette poésie de la cuisine à notre portée d'une façon pratique et concrète. C'est vraiment très bien !

Donc, bonne lecture et surtout bon appétit !

Philippe Borel
vice-président régional
et directeur général
Le Château Frontenac

Pour tous ceux qui
ont cette même passion,
« La Cuisine »

Introduction

Dans les recettes qui vont suivre, j'ai pensé à vous dans vos cuisines. J'ai essayé de

répondre à toutes les questions qu'on se pose quand on se retrouve devant ses

casseroles, au milieu de sa cuisine.

Des trucs, des réponses sur un aliment, une manière de faire, un tour de main et puis

l'originalité afin que ces repas avec vos amis deviennent des moments inoubliables.

Amusez-vous ! C'est dans cet esprit que j'ai écrit les pages qui suivent.

Réflexions

Un grand cuisinier disait que « la cuisine, ce n'est pas uniquement des recettes ». Je partage son avis. Encore faut-il de l'imagination, de l'inspiration, un goût à développer et un certain talent pour les belles présentations.

Ce qu'il faut avant tout c'est aimer la cuisine. Simplement.

On ne dira jamais assez que savoir acheter est aussi très important. Acheter des produits frais et de première qualité. Soyez souples dans le choix des aliments. Si la recette vous demande un aliment qui ne se trouve pas sous sa meilleure qualité au comptoir de votre marché, trouvez un substitut. Évitez les aliments séchés, congelés ou en conserve.

Prévoyez, planifiez. La majorité des recettes comportent ce que l'on appelle une « mise en place », c'est-à-dire des préparations qui peuvent se faire à l'avance. Ainsi, à l'arrivée de vos invités, plutôt que de courir vous pourrez prendre l'apéritif tranquillement avec eux.

Quatre principes à retenir :

L'importance de la cuisson

Un poisson trop cuit, une viande pas cuite au goût de vos invités, un légume trop croquant. Tout ceci dépréciera les bonnes sauces ou les jolies présentations que vous aurez faites.

Le rôle des parfums

J'aime beaucoup les herbes fraîches. J'en ai cité quelques-unes dans les pages suivantes. Et même si nos hivers sont rigoureux et parfois longs, plantez-en quelques-unes dès l'arrivée du printemps. Vous découvrirez le plaisir de les cueillir quelques minutes avant de les mettre dans votre sauce, sur votre rôti ou tout simplement en décoration. Elles rehaussent le goût des plats tout en préservant notre santé.

Elles poussent dans mon jardin sur les toits du Château Frontenac. Elles pousseront aussi très bien sur votre balcon ou derrière votre maison, ne réclamant ni sol particulier ni entretien spécial.

Les parfums, ce sont les herbes fraîches mais aussi les épices. Elles datent du début de la civilisation. Elles furent très tôt cultivées en Égypte, en Chine, en Inde, en Arabie, en Perse et en Grèce. À certaines époques, ces épices se payaient à prix d'or alors que maintenant elles sont meilleur marché.

Nous les apprécions toujours pour leurs arômes exotiques. Elles nous font voyager. Le curry nous transporte aussitôt en Inde. La cuisine chinoise, bien que très diversifiée, garde néanmoins ses effluves qui évoquent un pays tout entier, le soja et le gingembre. J'aime l'Indonésie pour ses plats aigres-doux relevés de tamarin et de citron vert. Que deviendrait le Mexique sans sa multitude de piments (150 variétés, dit-on). Les salsas ne seraient plus des salsas. Puis la cannelle, le safran, le cumin, la cardamome, l'anis, le genièvre, la coriandre, la noix de muscade et bien d'autres, sans oublier la base de notre assaisonnement, le sel et le poivre.

Le bon usage de l'assaisonnement

Après ces quelques lignes sur les herbes et les épices, la façon dont vous les utiliserez restera primordiale.

Un assaisonnement permet de rehausser et surtout de mettre en valeur les sauces et les mets préparés. L'utiliser en trop grande quantité masquera le goût premier de l'aliment. Insuffisamment utilisé, il lui donnera un goût fade et neutre.

Goûtez et goûtez encore. Faites confiance à votre palais. Il vous donnera l'heure juste.

Le respect des produits

Vous prendrez du temps pour bien sélectionner les produits dont vous aurez besoin.

Les poissons auront les yeux clairs. Les légumes seront d'une belle couleur appétissante,

la salade sera croquante et les fruits seront mûrs. Vous les transporterez avec précaution

et vous les consommerez ou les apprêterez dès que possible afin d'en retirer le

maximum de fraîcheur.

Le respect des produits, pour une meilleure qualité et pour éviter le gaspillage.

Un matériel approprié

Il faut certainement du talent pour obtenir de bons résultats culinaires, ainsi que des ingrédients et certains principes de base. Mais on oublie trop souvent...oh combien !...les ustensiles dont on dispose. Ils vous faciliteront la tâche et vous aideront à améliorer le produit que vous désirez transformer. Un bon équipement s'impose.

Les couteaux

Des couteaux de qualité douteuse vous donneront des résultats médiocres et, qui plus est, rongeront votre énergie et votre bonne humeur.

Vos couteaux seront coupants sur toute la lame et s'aiguiseront sans peine. Leur manche tient bien dans la main, tout en étant bien fixé à la lame.

De quels couteaux avez-vous besoin ? Ne pensez surtout pas qu'il est indispensable d'avoir toute cette panoplie dont disposent les professionnels.

1

1. D'abord ce qu'on appelle un **couteau d'office**. Ce petit couteau de 15 à 20 cm de long. Le plus petit mais aussi le plus utilisé des couteaux de cuisine. Son bout est très pointu. Il sert à éplucher, tourner les légumes et les fruits. En général, il sert à effectuer tous les menus travaux de cuisine.

2

2. **Couteau de « chef »** de 30 à 35 cm de long. Employé pour de multiples usages : trancher, hacher, émincer.

3

3. **Couteau à désosser** de 22 à 27 cm de long. Comme son nom l'indique, il sert à désosser les viandes crues.

4

4. **Couteau « filet de sole »** de 27 à 30 cm de long. Ce couteau, muni d'une lame flexible, sert à lever les filets de sole ou autres filets de poisson. Occasionnellement, il peut être utilisé pour trancher les oignons, échalotes ou tailler les fruits et légumes en différentes formes.

5

5. **Couteau à trancher** de 35 à 40 cm de long. Flexible, à bout arrondi. Comme son nom l'indique, il sert à trancher jambon, viandes froides et poissons tels que le saumon fumé ou mariné.

Couteau éplucheur, cuillère « parisienne » servant à faire des boules de fruits et de légumes, fourchette à rôti et fusil à affûter sont autant d'ustensiles utiles pour opérer dans une cuisine.

Les casseroles, marmites et poêles

Ces ustensiles sont les plus importants dans une cuisine.

Malgré la meilleure volonté, vous ne ferez pas de miracle dans des casseroles et marmites en fer blanc, souvent cabossées. Vous perdrez votre temps, votre énergie, votre argent et, pire encore, votre bonne humeur et votre plaisir à cuisiner. Elles doivent être de qualité supérieure et si le coût est un obstacle, demandez à votre conjoint ou votre conjointe, ou même vos amis, une casserole pour votre anniversaire ou pour Noël.

Dans tous les cas, ces marmites et casseroles ont un fond bien plat. Elles conduisent la chaleur sans perte ni diminution, et surtout avec régularité. Dans certaines gammes, l'acier et l'aluminium alternent, l'acier formant toujours la dernière couche. Avec un revêtement de cuivre, ou mieux encore, en cuivre complètement avec étamage nickel, vous aurez alors entre les mains la « crème » des casseroles. De plus, ces dernières sont aussi un plaisir pour l'oeil. Les placards deviennent alors inutiles puisqu'elles peuvent être à portée de la main, accrochées à un support au-dessus de votre table de travail. Les poêles : à frire et à sauter. Bien sûr, une d'entre elles doit être anti-adhésive, pratique pour la cuisson sautée.

Équipement de base

Un équipement de base comprendra plats à gratin, fait-tout de moyenne ou grande taille...ma grand-mère les aimait en fonte pour tous ses plats mijotés allant au four...le tout muni d'un couvercle ajusté.

Puis, les verres gradués, balance, mélangeur, rouleau à pâtisserie, poches et douilles à décorer, pinceaux à dorer ou à pâtisserie, ramequin, et surtout l'indispensable et souvent le plus chétif de notre matériel de cuisine, la planche de bois, souvent trop petite, trop mince, trop légère. Demandez à un ébéniste une belle grande planche de bois solide, d'une épaisseur variant entre 3 cm et 4 cm, d'une longueur de 60 cm et d'une largeur de 45 cm. Vous verrez toute la différence.

Divers ustensiles

L'exigence de qualité devrait également s'étendre à des objets en apparence aussi secondaires que le chinois, écumoir, fouet, cul-de-poule (vous savez ce récipient en demi-sphère) et louche. Choisissez-les solides et d'une grandeur suffisante. L'inox est préférable au plastique. Ces instruments tiennent bien en main et ne craignent ni les bosses, ni les éraflures, ni la chaleur.

Et le plaisir de cuisiner pourra commencer.

Je les aime beaucoup et les utilise par-ci, par-là, au gré de ma fantaisie. J'adore les sentir et, plus encore, j'apprécie leur goût délicat à travers les sauces et les vinaigrettes, le soupçon de saveur que l'on retrouve à travers les plats.

Les Fines Herbes

Fraîches pendant tout l'été, le choix est un peu restreint durant la période hivernale, mais la culture hydroponique d'aujourd'hui nous donne des choix intéressants sur nos étalages de fruits et légumes. Utilisez les fines herbes avec tact. L'abus de leur utilisation entraîne un déséquilibre difficile à réparer. Tout en laissant libre cours à votre imagination, retenez toutefois que la chaleur accentue leur arôme qui doit demeurer discret tout en relevant la saveur du plat préparé.

L'aneth : On connaît plus les feuilles que les graines d'aneth. Ses feuilles qui ressemblent à des plumes font les meilleures marinades pour les poissons et crustacés tel le saumon à l'aneth. On le retrouve très souvent dans les cuisines de Scandinavie, d'Allemagne et d'Europe de l'Est.

Les mariages réussis avec l'aneth sont aussi avec des salades telles les pommes de terre, les légumes et les soupes froides.

Le basilic : Ma préférée. Son odeur particulière et capiteuse est synonyme de soleil. Évitez de l'utiliser sous forme sèche, car il a peu de saveur.

Vert ou pourpre, le basilic se marie avec une multitude d'ingrédients. Sous forme de pesto, un simple plat de spaghettis devient un festin. Utilisez-le avec des tomates, du poisson, dans les soupes, salades et vinaigrettes. Parsemez-le selon l'inspiration du moment. Incontournable avec le minestrone ou une garniture provençale.

Le cerfeuil : Très délicat. Il supporte mal les cuissons prolongées et les températures élevées. Il s'utilise comme le persil frisé. Pour obtenir le maximum de son arôme, parsemez-le à la dernière minute sur vos salades, soupes à base de crème, poulet ou légumes.

La ciboulette : Elle appartient à la famille des oignons, mais a un goût beaucoup plus subtil. Elle se marie très bien avec les oeufs en omelette par exemple, les sauces et les vinaigrettes. Autant pour sa saveur que pour son coup d'oeil, entière ou délicatement hachée, la ciboulette apportera une touche finale à tous vos plats. Ses fleurs sont comestibles et sont excellentes dans les salades.

La coriandre : En feuilles, en racines, en graines, entières, moulues, fraîches ou séchées, la coriandre est l'une des herbes aromatiques les plus répandues dans le monde. Ses feuilles fraîches ressemblent à du persil plat. Très décoratives, leur goût anisé mais assez prononcé mérite qu'on les utilise en petites quantités sur les mets délicats. On la retrouve en Thaïlande et en Inde pour parfumer les currys. Également dans le Nord de l'Europe où les graines parfument le gin. Quant au Mexique, elle reste l'épice inséparable du chili traditionnel.

L'estragon : Subtil et raffiné, mais aussi d'un parfum assez prononcé et d'un goût délicatement anisé. Difficile à cultiver. Il a une grande place dans la gastronomie française. Utilisez-le en petite quantité, car son arôme imprègne rapidement les mets. Sans l'estragon, la sauce béarnaise ne porterait pas son nom. S'utilise aussi avec des poissons pochés, volailles et salades. Parfume très bien les vinaigres et vinaigrettes.

Le laurier : Un des composants du bouquet garni, le laurier, avec ses feuilles vert foncé et brillantes, vient d'un arbuste pouvant atteindre une taille imposante. Fraîche ou séchée, une seule de ses feuilles peut parfumer vos sauces pour les pâtes, vos soupes, viandes et volailles. Il se marie en général avec presque tous les autres ingrédients. Utilisez-le avec doigté.

La livèche : Cette herbe peu connue que mon ami jardinier de Charlevoix sait si bien faire pousser.
Non seulement ses feuilles vertes dentelées ressemblent à celles du céleri, mais son arôme est très proche de celui-ci et a l'avantage de bien se tenir dans la cuisson. Quelques feuilles et tiges ciselées parfumeront vos plats en sauce et vos soupes. Essayez-les aussi parcimonieusement avec le poisson ou certaines viandes blanches.

La marjolaine et l'origan : Ces deux plantes se ressemblent tellement qu'elles en sont pratiquement indissociables. Origan, l'herbe indispensable à la pizza. Les deux se marient à tous les plats d'origine italienne ou grecque. Également à vos volailles, gibiers et fruits de mer. D'un goût délicat et parfumé, ces plantes embelliront votre quotidien.

La mélisse (citronnelle) : D'un parfum doux et citronné, cette herbe très décorative améliorera le goût des plats légèrement citronnés. Originaire du Moyen-Orient, on la retrouve dans la région méditerranéenne où elle rentre dans la composition entre autres de « l'eau de Carmes » et de nombreuses liqueurs.

Les menthes : On dit qu'il en existe 600 espèces ou sous-espèces. Sauvage, poivrée ou du jardin, la fraîcheur de son parfum est puissante. Elle est aussi bien employée avec des plats sucrés que salés.
La menthe verte est idéale pour des sauces et pour la gelée, celle-ci très populaire avec l'agneau. Essayez-la avec des pommes de terre nouvelles ou des petits pois ; elle vous enchantera.

En Occident, c'est une des herbes reines. Elle est aussi très populaire en infusion.

L'oseille : On se rappellera de ce plat devenu classique qu'était « l'escalope de saumon à l'oseille ». Ma grand-mère en avait de larges bandes dans son jardin et j'adorais aller cueillir ces feuilles au goût acide.

Elles feront de magnifiques purées qui constitueront la base de délicieuses sauces accompagnant oeufs ou poissons. Mais aussi en salade verte, dans la soupe, dans les quiches, seule ou avec des épinards. L'oseille vous apportera cette agréable amertume qui lui est si particulière.

Le persil : Nous connaissons tous le persil et ses deux espèces, le plat et le frisé. Le plat, d'une odeur et d'un goût plus fins, supporte bien la cuisson et donne une saveur agréable, quoique oubliée. En branche ou ciselé, le persil apporte couleur et saveur aux sauces, salades et à tout plat préparé. Sans oublier le persil frisé entier qui accompagne joliment les plats de fruits de mer et les viandes grillées.

Le romarin : Cette jolie plante aromatique aux feuilles en forme d'aiguilles nous vient du littoral méditerranéen. Son arôme puissant et relevé se mariera fort bien avec le veau, la volaille ou l'agneau. Dans une marinade avec de l'huile d'olive et de l'ail, ou dans vos plats mijotés, le romarin pourra être utilisé.

La sarriette : Elle sent la Méditerranée comme le thym, le romarin et l'origan. Son parfum poivré rappelle un peu celui du thym. Cette herbe se marie très bien avec les légumes secs. Essayez-la aussi avec le veau, le porc grillé, la volaille ou le lapin. Faites-la infuser dans du vinaigre de vin pour aromatiser les salades de haricots.

La sauge : Connue en médecine pour ses vertus curatives, bien avant d'être appréciée en gastronomie. La sauge, à l'arôme très prononcé, reste une des herbes aromatiques préférées des Italiens. Le fameux « saltimbocca » (petit médaillon de veau) ne pourrait exister sans la sauge. Utilisez-la dans vos farces de volaille, de porc ou de veau, vos marinades et vos pâtés préférés.

Le thym : Un bouquet garni sans thym n'aurait plus la même saveur. Quel parfum, quel arôme agréable, fort et très caractéristique. Une des espèces de thym, le serpolet, pousse en abondance en Provence et donne aux plats de cette région un goût particulier. Employez-le avec délicatesse. Tous les plats à cuisson lente, ragoûts, soupes, sauces tomates, ainsi que les viandes grillées et rôties se marient bien avec le thym.

Dans les cuisines nous utilisons un vocabulaire qui, parfois sans nous en rendre compte, devient incompréhensible pour les profanes.

Bien que les recettes contenues dans ce livre se comprennent d'elles-mêmes, j'ai tenu à vous donner quelques définitions.

Les Termes
culinaires

Bain-marie : Se compose de deux récipients. Le premier contient de l'eau qui sera mise à chauffer à une température voisine de l'ébullition. Le second, contenant les aliments à cuire, est posé dans l'eau. Cette technique de cuisson est destinée aux préparations délicates ne supportant pas le contact direct ou brutal de la chaleur.

Blanchir : Plonger dans l'eau bouillante légumes ou viandes et les y laisser quelques minutes avant d'égoutter.

Brunoise : Légumes taillés en tout petits dés.

Ciseler : Réduire en menus morceaux de l'oignon et de l'échalote par des incisions successives verticales et horizontales.

Clarifier : Faire fondre doucement du beurre afin d'en éliminer les impuretés qui remontent à la surface sous forme d'écume ainsi que le petit lait qui se dépose au fond du récipient. Le beurre maintenu tiède a alors l'aspect de l'huile.

Déglacer : À l'aide d'un liquide (vin blanc ou rouge, cognac, porto...), faire dissoudre les sucs caramélisés en cours de cuisson au fond du récipient.

Dorer : Badigeonner la surface d'une pâte à l'aide d'un pinceau trempé dans l'oeuf battu (dénommé « dorure ») afin d'en favoriser la coloration en cours de cuisson.

Dresser : Disposer harmonieusement les mets dans les plats ou les assiettes.

Émincer : Tailler en lamelles plus ou moins grosses des légumes ou des fruits.

Escaloper : Détailler de biais, en morceaux plus ou moins gros, légumes, viandes ou poissons.

Étuver : Cuire une viande, une volaille ou un légume à couvert et à très court mouillement.

Flamber : Mettre un alcool dans une casserole ou poêle chaude dans laquelle se trouve l'aliment. Enflammer l'alcool au moyen d'une allumette. À effectuer avec beaucoup de précaution.

Gratiner : Faire colorer la surface de certaines préparations à l'aide d'un corps gras, de fromage ou de chapelure sous le « gril » ou « broil » de manière à obtenir une surface légèrement colorée.

Julienne : Façon de couper en longueur les légumes, fruits ou même certaines viandes. La taille peut varier d'un fin filament de 1 mm x 20 mm à celle d'un bâtonnet de 4 mm x 40 mm.

Mariner : Mettre un aliment (viande, poisson, crustacé) dans une marinade dont la composition diffère selon l'aliment à traiter. Le but étant d'attendrir et de parfumer les chairs.

Mijoter : Faire cuire doucement à petit feu.

Mirepoix : Carottes, oignons et céleri coupés en gros dés. Utilisée pour augmenter la saveur de certaines sauces, fonds, viandes, poissons et crustacés.

Mouiller : Ajouter à une préparation, pour la cuire ou la confectionner, un liquide (eau, lait, fond de viande, vin...).

Napper : Recouvrir délicatement d'une sauce ou d'un coulis un mets prêt à être servi.

Paner : Enrober un aliment de mie de pain ou chapelure après l'avoir passé dans la farine puis dans l'oeuf battu.

Papillote : La cuisson en papillote est une cuisson à l'étouffée. Pour la réaliser, on enferme hermétiquement l'aliment (viandes, poissons, légumes...) dans une feuille de papier sulfurisé ou d'aluminium que l'on replie sur l'aliment en pinçant bien les bords afin qu'il n'y ait aucune perte de vapeur. Cette cuisson a la particularité de concentrer les parfums à l'intérieur.

Parer : Supprimer les parties non consommables d'une viande, d'un poisson, d'un légume ou d'un fruit.

Pocher : Cuire différents aliments (viande, volaille, poisson, fruit...) dans un liquide (fond de viande, court-bouillon, sirop...) pour une cuisson légèrement « frémissante ».

Poêler : Cuire un aliment « à la poêle » avec beurre et/ou huile.

Rafraîchir : Refroidir rapidement à l'eau courante.

Réduire : Diminuer par évaporation le volume d'un liquide, généralement une sauce, pour le rendre plus épais, plus parfumé, savoureux et corsé.

Réserver : Mettre de côté pour utilisation ultérieure.

Revenir : Faire cuire un aliment dans du beurre et/ou de l'huile en prenant soin que l'aliment prenne un peu de couleur.

Rissoler : Faire colorer dans du beurre ou de l'huile une viande, une volaille, un légume, pommes de terre et autres afin de les envelopper d'une couche croustillante et colorée.

Saisir : Commencer la cuisson d'un aliment à feu vif.

Sauter : Cuire rapidement de la viande, du poisson ou des légumes dans une casserole ou une poêle avec de l'huile et/ou du beurre.

Suer : Faire cuire les légumes dans le beurre et/ou de l'huile pendant quelques minutes jusqu'à ce que les premières gouttes de jus perlent de ces légumes.

Né le 28 décembre 1952 à la Gaubretière, petit bourg de 2 000 âmes, dans le bocage vendéen, à 50 Km de la Roche-sur-Yon en France.

Ses parents, comme ses grands-parents, étaient dans l'alimentation.
Leur maison abritait d'un côté une boulangerie et de l'autre
une petite auberge.

Il étudie à l'école communale. En 1966, il entre à l'École hôtelière
de Saumur où, durant trois années, il apprend les bases de la cuisine.
Il sort de cette école hôtelière finaliste du "Meilleur apprenti-cuisinier
de France".

Expérience professionnelle :

1993 jusqu'à présent :	CANADA: "Le Château Frontenac", Ville de Québec. Chef exécutif.
1979-1993 :	CANADA: "Hilton International Québec", Ville de Québec. Chef exécutif et directeur de la restauration.
1976-1979 :	ASIE: Guam Hilton Chef exécutif. Il côtoie les différentes cultures et cuisines dans les "Hilton" de Tokyo, Hong-Kong et Manille.
1975 :	CANADA: Hilton Reine Elizabeth à Montréal (Québec). Quelques mois plus tard, "chef" à l'ouverture du restaurant "L'Éperlan" dans le Vieux-Québec.
1974 :	FRANCE: "L'Auberge du Père Bise", Talloires, près d'Annecy. La Maison la plus cotée de l'heure. Grâce à ce stage, les soufflés de truite, gratins d'écrevisses et omble chevalier n'ont plus de secrets.

1973 :   FRANCE: Service militaire obligatoire.
         Chef cuisinier au Mess des Officiers de Suippes.

1972 :   ANGLETERRE: "Restaurant Maison Prunier", Londres.
         Chef saucier dans le royaume du poisson.

1971 :   SUISSE: Hôtel "Palma au Lac", Locarno.
         Commis garde-manger dans "l'École du froid".

1970 :   FRANCE CORSE: "Eden Roc", Ajaccio.
         Commis de cuisine et pâtisserie - Cuisine méridionale.

1969 :   FRANCE: Angers, Chamonix, Oléron.
         Commis de cuisine dans les restaurants de saison.

Réalisations personnelles :

- Auteur du livre "*Comme au Château*", 1995.

- Auteur du livre "*La santé dans les grands plats*", 1990.

- Médaille d'or au "Salon culinaire mondiale de Bâle", Suisse, 1987.

- Médaille d'or au "Salon culinaire de Montréal du Québec"
  avec l'Équipe du Québec.

- Élu "Chef de l'année" en 1987 par un jury de spécialistes de la gastronomie
  du journal The Gazette.

- Élu "Chef de l'année" en 1989 par "l'Association des Cuisiniers et pâtissiers
  du Québec".

Activités sociales :

- Membre de "l'Académie culinaire de France".

- Membre des "Toques blanches internationales".

- "Chevalier de l'Ordre de la Méduse".

- Membre de la "Chaîne des Rôtisseurs".

- Membre de "l'Association des Chefs de cuisine et Pâtissiers du Québec".

L'accord des mets et des vins cause souvent des interrogations et des problèmes aux hôtes qui souhaitent bien faire les choses à l'occasion d'un repas offert à des parents ou amis. Mon ami Jean Soulard innove dans ses recettes raffinées. J'ai voulu faire de même dans le choix des vins d'accompagnement en sortant un peu (beaucoup) des sentiers battus.

Le Vin

Jean Gilles Jutras
Ambassadeur du vin au Québec

Il est bien évident que quelqu'un d'autre pourrait faire des suggestions bien différentes; mais ce sont là mes coups de coeur. En général, deux choix sont proposés, à prix différents, pour chaque recette. Parfois, ce ne sera pas un vin, mais une boisson qui me paraissait plus adaptée au plat.

Fond de veau

Pour 1 litre (4¹/₂ tasses) de fond :
- 1 kg (2 lbs 3 oz) d'os de veau concassés et de parures
- 75 g (3 oz) de carottes, oignons, branches de céleri, coupés en morceaux (mirepoix)
- 1 tomate fraîche coupée en dés
- 15 g (1 c. à soupe) de concentré de tomates
- 1 gousse d'ail écrasée
- 1 petit bouquet garni
- 2 l (9 tasses) d'eau
- Sel et poivre

Placer les os et les parures sans matière grasse sur une plaque allant au four et les faire brunir à 400 °F (200 °C).

Ajouter les carottes, les oignons, les branches de céleri et les tomates. Rôtir 4 à 5 minutes de plus.

Retirer du four et transférer dans une casserole. Éviter de prendre la graisse qui a pu se déposer dans le fond de la plaque.

Ajouter le concentré de tomates, l'ail et le bouquet garni.

Recouvrir d'eau et assaisonner.

Cuire doucement à découvert pendant 2 heures. Écumer et dégraisser de temps en temps.

Couler ensuite le fond, environ 1 litre, dans une passoire ou à travers un linge fin.

- La meilleure façon de dégraisser les fonds est de les mettre dans un récipient, au réfrigérateur. Les graisses se solidifieront à la surface et il sera alors plus facile de les retirer.

Jus d'agneau

Pour 1 litre (4¹/₂ tasses) de jus d'agneau :
- 1 kg (2 lb 3 oz) d'os d'agneau
- 1 petit oignon
- 1 petite carotte
- 1 petit bouquet garni
- 2 l (9 tasses) d'eau
- Sel et poivre

Mettre les os d'agneau concassés dans une casserole et les faire revenir légèrement.

Ajouter l'oignon et la carotte coupés en morceaux ainsi que le bouquet garni. Recouvrir d'eau et assaisonner.

Cuire doucement à découvert pendant 1 heure en prenant soin d'écumer et de retirer le gras.

Couler dans une passoire ou à travers un linge fin et conserver au frais.

- On peut utiliser des parures d'agneau en même temps que les os.

Fond blanc de volaille

Pour 1 litre (4¹/₂ tasses) de fond :
- 1 kg (2 lb 3 oz) de carcasses de volaille ou une volaille à bouillir
- 1 petit oignon
- 1 petite carotte
- 1 branche de céleri
- 1 petit bouquet garni
- 2 l (9 tasses) d'eau
- Sel et poivre

Mettre les carcasses concassées dans une casserole. Ajouter les légumes coupés en morceaux, puis le bouquet garni. Recouvrir d'eau et assaisonner.
Laisser bouillir doucement à découvert pendant 2 heures, en écumant fréquemment pour retirer le gras qui remonte à la surface.
Couler le fond dans une passoire ou à travers un linge fin et conserver au frais.
Dégraisser à nouveau, si nécessaire.

- Le fond blanc de volaille est utilisé pour pocher les volailles ou pour la cuisson de divers plats tels que les fricassées de poulet.

Fumet de poisson

Pour 1,3 litre (6 tasses) de fumet de poisson :
- 1 kg (2 lb 3 oz) d'arêtes et de parures
- Huile d'olive ou d'arachide
- 50 g (2 oz) d'oignon
- 50 g (2 oz) de blanc de poireau
- 30 g (1 oz) de champignons ou de parures de champignons
- 2 l (9 tasses) d'eau froide
- 1 petit bouquet garni
- Sel et poivre
- Jus d'un citron

Bien nettoyer les arêtes et les parures de poisson. Dans une casserole anti-adhésive, faire revenir dans l'huile l'oignon, le blanc de poireau et les champignons, préalablement coupés, pendant 4 à 5 minutes. Ajouter les arêtes et les parures, l'eau et le bouquet garni. Assaisonner.
Porter à ébullition et cuire à feu doux pendant 20 minutes. Écumer de temps en temps.
Couler le fumet dans une passoire ou à travers un linge fin.
Vérifier l'assaisonnement et ajouter le jus de citron.
Conserver au froid jusqu'à utilisation.

- Pour obtenir un meilleur fumet de poisson, utiliser seulement les arêtes de poissons blancs comme la sole et l'aiglefin.

Coulis de tomates

Pour 4 personnes :
- 300 g (10 oz) de tomates fraîches
- 50 ml (3 c. à soupe) d'huile d'olive
- 1 gousse d'ail écrasée
- 50 g (2 oz) d'échalote hachée
- 15 g (1 c. à soupe) de concentré de tomates
- 1 petit bouquet garni
- 250 ml (1 tasse) de fond de volaille (voir Recettes de base)
- Sel et poivre

Peler et épépiner les tomates.
Faire chauffer l'huile d'olive dans une casserole et faire colorer l'ail et l'échalote.
Ajouter les tomates fraîches, le concentré de tomates, le petit bouquet garni et le fond de volaille.
Laisser cuire 20 minutes.
Retirer le bouquet garni une fois la cuisson terminée et passer au mélangeur.
Vérifier l'assaisonnement.

- Le bouquet garni se compose en général de queues de persil, de thym et de quelques feuilles de laurier. Si vous avez dans votre jardin de l'estragon, du basilic ou de la ciboulette, vous pouvez bien sûr les ajouter.
- Il est préférable d'utiliser du fond de volaille. Si vous manquez de temps, vous pouvez le remplacer par du bouillon en cubes ou en poudre qu'on trouve dans les épiceries. Cependant, ne vous attendez pas au même résultat ; ces substituts sont plus salés et moins rehaussés en fines herbes.

Tomates concassées

Pour 4 personnes :
- 1 kg (2 lb 3 oz) de tomates mûres
- 15 ml (1 c. à soupe) d'huile d'olive
- 25 g (1 oz) d'échalote hachée
- 1 gousse d'ail hachée
- 15 ml (1 c. à soupe) d'herbes fraîches hachées (origan, thym ou autres)
- Sel et poivre

Enlever le pédoncule des tomates. Plonger celles-ci dans l'eau bouillante 30 secondes.
Rafraîchir à l'eau froide et peler.
Couper les tomates en deux et les presser dans le creux de la main de manière à faire sortir les pépins.
Couper en petits dés.
Dans une casserole anti-adhésive, faire sauter l'échalote et l'ail dans l'huile d'olive.
Ajouter les tomates et les herbes. Saler et poivrer.
Couvrir et cuire 15 minutes, jusqu'à ce que le jus soit évaporé.
Vérifier l'assaisonnement.

Sauce vinaigrette à l'échalote

Pour 4 personnes :
- 80 ml (5 c. à soupe) d'huile de tournesol
- 30 ml (2 c. à soupe) d'huile d'olive non raffinée
- 50 g (2 oz) d'échalote hachée
- 30 ml (2 c. à soupe) de vinaigre de vin
- Jus d'un citron
- Sel et poivre

Mélanger tous les ingrédients.

- Si votre jardin ou votre marchand d'herbes a de belles herbes fraîches, n'hésitez pas à en ajouter à vos vinaigrettes. Elles leur donneront encore plus de saveur.

Sauce moutarde à l'aneth

Pour 4 personnes :
- 15 g (1 c. à soupe) de moutarde douce
- 15 g (1 c. à soupe) de moutarde forte de Dijon
- 5 g (1 c. à thé) de sucre
- 5 ml (1 c. à thé) de vinaigre blanc
- 1 jaune d'oeuf
- 125 ml ($^1/_2$ tasse) d'huile de tournesol
- 5 g (1 c. à thé) d'aneth haché

Mélanger les moutardes, le sucre, le vinaigre et le jaune d'oeuf. Ajouter petit à petit l'huile et monter comme une mayonnaise. Ajouter l'aneth. Vérifier l'assaisonnement.

- Tous les ingrédients doivent être à la température de la pièce.

Crème pâtissière

Pour 4 personnes :
- ¹/₂ gousse de vanille
  (ou extrait de vanille)
- ¹/₂ l (1²/₃ tasse) de lait
- 3 jaunes d'oeuf
- 120 g (4 oz) de sucre
- 40 g (1¹/₃ oz) de farine
- 15 g (¹/₂ oz) de beurre

Fendre la gousse de vanille en deux et la mettre dans une casserole avec le lait. Porter à ébullition et retirer du feu.

Dans une autre casserole, battre les jaunes d'oeuf au fouet, puis ajouter le sucre. Après quelques minutes, ajouter la farine tout en continuant de fouetter.

Verser le lait bouillant. Mélanger de nouveau.

Poser la casserole sur le feu et porter à ébullition en battant sans cesse jusqu'au premier bouillon.

Verser la crème dans un récipient, retirer la gousse de vanille et parsemer la surface de petits morceaux de beurre. En fondant, le beurre empêchera la formation d'une croûte sur la crème.

Crème anglaise

Pour 4 personnes :
- ¹/₂ gousse de vanille
  (ou extrait de vanille)
- ¹/₂ l (1²/₃ tasse) de lait
- 5 jaunes d'oeuf
- 120 g (4 oz) de sucre

Fendre la gousse de vanille en deux et la mettre dans une casserole avec le lait. Porter à ébullition et retirer du feu.

Fouetter les jaunes d'oeuf et le sucre dans un récipient puis verser le lait bouillant peu à peu sans cesser de battre.

Verser le tout dans la casserole et cuire à feu doux en remuant avec une cuillère de bois, sans jamais atteindre l'ébullition ; celle-ci ferait tourner la sauce.

Pour vérifier la cuisson de la crème, en retirer la cuillère et tracer une ligne au centre de celle-ci ; si la crème est cuite, la ligne restera tracée.

Laisser refroidir. Fouetter de temps à autre. Retirer la gousse de vanille.

- Cette crème peut être aromatisée avec un alcool de son choix.

Les aiguillettes : Longues et fines tranches minces coupées en général sur les poitrines de volaille ou de gibier. Toujours dégraisser les poitrines de canard trop grasses.

La ratatouille : De façon plus classique, la ratatouille demande à ce que l'on fasse sauter les aubergines, les poivrons et les courgettes séparément dans l'huile d'olive. Préparer à part des oignons sautés avec des tomates pelées, épépinées et coupées en dés. Mélanger le tout sans oublier une pointe d'ail hachée et un assaisonnement adéquat.

Le poivre : Condiment indispensable dans la cuisine. Il est considéré, à juste titre, comme le « roi des épices ». L'Inde en est le principal producteur, mais aussi l'Indonésie, la Malaisie et le Brésil.

Aiguillettes de car

fumé et frais, ratatoui

Le poivre vert, récolté avant maturité, est doux et fruité. Lorsque séché au soleil, il devient alors poivre noir.

Le poivre blanc est au contraire cueilli très mûr, soit lorsqu'il est devenu rouge. Trempé dans l'eau salée et débarrassé de son enveloppe, il en sort alors des baies blanches qui seront séchées. Moins piquant que le noir, il est apprécié dans la cuisine car il ne laisse aucun point noir dans les sauces blanches.

Quant au poivre rose utilisé dans la présente recette, malgré son nom, ce n'est pas vraiment du poivre. Il a un léger goût de résine et on l'apprécie dans la cuisine, je pense, pour son aspect. À consommer modérément.

rd

iède

Pour quatre personnes :

- 1 poitrine de canard frais
- 1 poitrine de canard fumé (on le trouve en général déjà tranché)

Pour la ratatouille :
- 300 g (10 oz) de tomates
- 150 g (5 oz) de poivrons verts et rouges
- 200 g (7 oz) d'aubergines
- 200 g (7 oz) de courgettes
- 60 g (2 oz) d'oignon haché
- 1 gousse d'ail hachée
- 30 ml (2 c. à soupe) d'huile d'olive
- Sel et poivre

Pour la vinaigrette :
- 45 ml (3 c. à soupe) d'huile d'olive
- 15 ml (1 c. à soupe) d'huile de noisette
- Jus d'un citron
- Quelques baies roses entières (ou poivre rose)
- Sel et poivre

Pour la décoration :
- Quelques brins d'herbes fraîches (estragon)
- Quelques noisettes

Peler et épépiner les tomates. Couper les poivrons en deux et en retirer les pépins. Couper les tomates, les poivrons, les aubergines et courgettes en petite brunoise. Faire dorer l'oignon dans une poêle enduite d'huile d'olive. Ajouter les légumes, l'ail, le sel et le poivre. Cuire quelques minutes de manière à garder les légumes croquants. Garder la ratatouille tiède.

Placer le magret frais 30 minutes au congélateur, ce qui facilitera le tranchage en aiguillettes très fines avec un couteau bien aiguisé. Trancher également le magret fumé, à moins de l'avoir acheté déjà tranché.

Confectionner la vinaigrette avec les huiles d'olive et de noisette, le jus de citron, le poivre rose, le sel et le poivre.

Étendre la ratatouille dans le fond de chaque assiette. Placer en alternance les aiguillettes fumées et crues sur la ratatouille tiède. Verser la vinaigrette préalablement tiédie sur le canard. Décorer de quelques herbes fraîches et quelques noisettes.

Menu proposé :

Aiguillettes de canard fumé et frais, ratatouille tiède
Blanc de morue aux gourganes et matignon d'endives
Beignets aux fruits rouges, sorbet aux pêches, sauce épicée

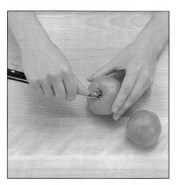

Enlever le pédoncule des tomates.

Couper en petits dés.

Après les avoir plongées dans l'eau bouillante une trentaine de secondes, les rafraîchir à l'eau froide et peler.

Le Vin

L'accord avec le vinaigre est souvent difficile, tout comme avec le canard fumé. Allons-y pour un vin blanc sec et généreux, aux saveurs marquées, comme ce vin de Sancerre ou encore cette belle surprise californienne.
Chardonnay, Gallo, Sonoma County (Californie)
Domaine de la Moussière, AC Sancerre, A. Mellot

Couper les tomates en deux et presser dans le creux de la main de manière à faire sortir les pépins.

Les foies de volaille : Sont utilisés dans cette recette de salade appelée salade tiède. Essayez cette même méthode de cuisson avec du poisson finement escalopé ou des crustacés. Quelques secondes sous le gril. Déposez délicatement sur votre feuille de salade et vous découvrirez ces recettes simples et fraîches qui pourront sans doute faire le bonheur de vos lunchs d'été.

La vinaigrette : Vous pouvez jouer avec les saveurs des vinaigrettes simplement en utilisant les innombrables huiles et vinaigres disponibles sur le marché. Vous ferez plusieurs découvertes. Vous pourrez ensuite y ajouter votre pointe d'originalité avec un assaisonnement (herbes, épices) dont vous seul aurez le secret.

Salade folle de foies de volaille et fromage de chèvre, vinaigrette au pamplemousse

Quelques conseils. Dissoudre le sel dans le vinaigre ou le citron d'abord, ce qui est impossible dans l'huile. La vinaigrette se prépare à part au fond d'un saladier et non sur la salade. Préparer la vinaigrette à la dernière minute ; ça demande si peu de temps. Éviter les mises en place dans une bouteille dans le fond du réfrigérateur. Personnellement, je substitue le jus de citron au vinaigre...question de goût.

Les feuilles de chêne : De nombreuses salades exotiques sont disponibles dans nos marchés. Elles poussent principalement en hydroponie durant l'hiver. Les feuilles de chêne sont une de ces variétés que je vous suggère d'essayer. Nous pouvons mentionner aussi le pourpier, la roquette, les feuilles de capucines et bien d'autres encore. Elles vous donneront une grande variété de saveurs, de couleurs et de textures.

Les oeufs « miroir » : Ne saler que le blanc, le sel formant de petits points blancs peu esthétiques sur le jaune.

Les fleurs comestibles : Des ingrédients inhabituels, mais...oh combien !... décoratifs, remplis de douceur, de saveur et de charme pour les yeux.

Quelques précautions si vous ne les achetez pas chez votre épicier. Assurez-vous qu'elles soient comestibles. Vérifiez ensuite qu'elles aient poussé sans pesticide ni produit chimique. Les fleurs vendues chez le fleuriste ont presque toujours été traitées. Si vous cueillez les fleurs dans un jardin, le faire tôt le matin et par temps sec de préférence. Rincez-les délicatement et ne les gardez pas plus de 24 heures car elles fanent rapidement.

Pour quatre personnes :

- 16 foies de volaille
- 4 rondelles de fromage de chèvre
- 300 g (10 oz) de mâche
- 200 g (7 oz) de feuilles de chêne
- 1 salade trévise
- 30 ml (2 c. à soupe) d'huile d'olive
- Quelques feuilles de basilic
- 4 oeufs de caille

Pour la vinaigrette :
- 45 ml (3 c. à soupe) de jus de pamplemousse
- 45 ml (3 c. à soupe) d'huile d'olive
- Jus d'un demi-citron
- 5 g (1 c. à thé) d'herbes fraîches hachées
- Sel et poivre

Pour la décoration :
- Fleurs de capucines et/ou de pensées

Faire la vinaigrette de pamplemousse en mélangeant tous les ingrédients.

Éplucher la mâche en coupant la base pour en retirer les feuilles abîmées, sans défaire les bouquets. Laver ceux-ci dans plusieurs eaux pour éliminer le sable. Égoutter. Laver et égoutter les feuilles de chêne.

Parer les foies de volaille en enlevant toutes les parties nerveuses et verdâtres. Escaloper les foies trop épais. Les déposer sur une plaque allant au four. Les badigeonner d'huile d'olive et parsemer de basilic haché. Garder au frais.

Placer les 4 rondelles de fromage de chèvre dans une plaque allant au four. Étendre sur le dessus un peu d'huile d'olive et de basilic haché. Garder au frais.

Disposer harmonieusement la mâche, les feuilles de chêne et la trévise dans le fond de chaque assiette.

Dans une poêle anti-adhésive, cuire les oeufs de caille au miroir. Placer ensuite la plaque de foies de volaille sous le gril environ 1 minute de manière à les cuire rosés. Placer les 4 rondelles de fromage de chèvre aussi sous le gril pendant 1 minute afin que le fromage fonde et brunisse légèrement. Ces trois opérations doivent se faire simultanément.

Déposer les foies de volaille rosés, le fromage de chèvre fondu et les oeufs de caille cuits sur les salades. Verser la vinaigrette de pamplemousse sur le tout. Décorer avec les fleurs de capucines ou de pensées.

Menu proposé :

Salade folle de foies de volaille et fromage de chèvre, vinaigrette au pamplemousse
Filet de truite aux linguini multicolores, sauce au raifort, radis au pineau
Bonbons croustillants aux framboises, sauce au Grand Marnier

Parer les foies de volaille en enlevant toutes les parties nerveuses et verdâtres.

Escaloper les foies trop épais. Déposer sur une plaque allant au four.

Badigeonner d'huile d'olive.

Parsemer de basilic haché. Garder au frais.

Le Vin

L'association foies de volaille et fromage de chèvre peut susciter des interrogations, de même que la présence du pamplemousse. Il faut un vin bien présent et structuré. Un blanc nerveux et d'une bonne longueur.
Gran Vina Sol, Torres, Penedes (Espagne) (*)
Saint-Péray, Louis Roche, AC

Le tartare : « Produit alimentaire cru, haché ou détaillé en tout petits cubes et assaisonné de manière à en exhaler le goût naturel sans jamais le masquer », voilà la définition du dictionnaire.

Nous pourrions aussi ajouter plusieurs choses importantes.

L'aliment doit être d'une fraîcheur irréprochable. L'aliment quel qu'il soit, viande, poisson, pétoncles ou autres, est destiné à être mangé cru. Il doit rester froid jusqu'au moment de la consommation. Cela pour des raisons d'hygiène faciles à comprendre.

L'assaisonnement est une partie importante du tartare. Bien vérifier la teneur en jus de citron vert, en sel et en poivre. L'assaisonnement doit relever le goût délicat, mais ne jamais le masquer.

Un tartare ne doit pas attendre, surtout après avoir été assaisonné. Il va de soi que quelques minutes au réfrigérateur, le temps de passer à table ou de débarrasser le plat précédent, et le tartare pourra être consommé.

Tartare de pétoncle
en robe de truite

Le pétoncle : Ce mollusque ne nécessite aucun hachage mécanique. À l'aide d'un couteau bien aiguisé, on le tranche en lanières qu'on débitera ensuite en petits cubes.

Le petit bouquet de jeunes salades : Celui proposé ici s'appelle aussi mesclun. Peut être composé de salades, sans doute peu connues, que l'on retrouve sur nos marchés pendant les mois de la belle saison, ou même en d'autres périodes de l'année puisqu'elles poussent très bien en hydroponie. Parmi ces salades, on retrouve :

La roquette (ou arugula) : Au goût poivré, apparentée à la moutarde, avec des feuilles qui ressemblent à celles des radis.

Le pourpier : Aux feuilles croquantes, plus douces que la roquette. Essayez-le avec de la crème fraîche et de la ciboulette, le tout bien assaisonné.

La mâche : Fragile et délicate, elle est beaucoup plus connue. Elle permet de faire de belles présentations et peut aussi se marier avec des salades tièdes de poissons et crustacés.

Les algues Hijiki : Notre culture nord-américaine ne nous a pas permis d'utiliser bien fréquemment les algues. En revanche, les algues, riches en sels minéraux, vitamines et protéines, font partie intégrante de l'alimentation en Asie. Elles sont récoltées sur les côtes du Japon et elles sont en général vendues séchées dans les magasins spécialisés. En voici quelques variétés :

Hijiki : Elle est bien adaptée au goût nord-américain. Cette algue peu iodée ressemble étrangement au thé séché. L'utiliser en petite quantité, soit en garniture de salade, crustacés ou poissons et, bien sûr, pour les décorations. Elle a la particularité de décupler de volume dans l'eau.

Konbu : Très utilisée dans la gastronomie japonaise. On retrouve cette longue algue géante dans les consommés, les sauces, autour de poisson séché ou avec le riz.

Nori : Avec le Konbu, c'est l'algue la plus consommée. On l'utilise principalement pour le sushi.

les

Pour quatre personnes :

- 200 g (7 oz) de pétoncles
- 90 g (3 oz) de truite fumée
- 15 g ($^1/_2$ oz) d'échalote hachée
- 15 g ($^1/_2$ oz) d'aneth haché
- 15 ml (1 c. à soupe) d'huile d'olive
- Jus d'un citron vert
- Sel et poivre

Pour la décoration :
- Petit bouquet de jeunes salades
- Brins d'aneth
- Quelques algues Hijiki

Couper la truite fumée en fines tranches. Réserver.

Confectionner le tartare de pétoncles en retirant le nerf des pétoncles. Les couper ensuite en petits morceaux et mélanger avec l'échalote, l'aneth, le jus de citron vert, le sel, le poivre et l'huile d'olive.

Farcir l'intérieur des tranches de truite fumée et enrouler délicatement.

Dresser l'assiette avec le tartare de pétoncles enroulé. Garnir d'un petit bouquet de salades, quelques brins d'aneth et quelques algues Hijiki.

Inspiré de
Alain Soulard

Menu proposé :

Tartare de pétoncles en robe de truite
Blanc de pintade à la cardamome farci aux escargots
Fraises au poivre en tulipe, jus de mûres

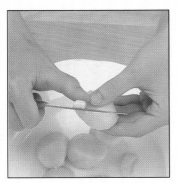

Confectionner le tartare en retirant le nerf des pétoncles.

Couper en petits morceaux.

Mélanger avec l'échalote, l'aneth, le jus de citron vert, le sel et le poivre...

...et l'huile d'olive.

Le Vin

Ne pas oublier que les vins d'Alsace sont tout désignés pour les produits de nos lacs et rivières, des fleuves et de la mer. Malgré leur parfum et leur arôme bien présents, les Riesling sont bien secs.
Riesling Divinal, AC, Cave d'Obernai
Gueberschwihr, AC Riesling, Dom. Humbrecht (*)

L'escargot : Mollusque au même titre que la pieuvre et l'huître. Profondément végétarien, il est à peu près aveugle et ne peut distinguer que les formes blanches. Au-delà de deux ou trois millimètres, il ne voit plus rien. L'escargot aime la pluie et pour cause puisque le plus grand danger qui le menace, mis à part les gastronomes ou les laitues sulfatées, c'est la déshydratation.

Ce qui est intéressant chez l'escargot, c'est sa vie sexuelle...pas très simple vous allez voir ! Hermaphrodite intégral, il a un organe masculin et un organe féminin ; il est donc à la fois mâle et femelle. Et ce n'est pas un reposant puisque l'acte d'amour ne dure jamais moins de deux heures. Un mois plus tard, une cinquantaine d'oeufs minuscules, blancs, ronds et en grappes naîtront. Certains gastronomes ont même transformé ces oeufs en « caviar d'escargots » après les avoir salés légèrement. Snobisme ?...

Brochette d'escar

aux raisins, polenta, s

Sachons aussi qu'on distingue deux variétés d'escargots : 1) l'hélix, dans laquelle on retrouve le « petit gris » et le « bourgogne » ; 2) l'achatine provenant des pays asiatiques (généralement Taïwan). Plusieurs vous diront que cet animal n'a rien d'un escargot, sauf son apparence dans la boîte. Il n'en a certainement pas le goût.

Un conseil : bien rincer sous l'eau froide les escargots sortis de leur boîte. Peu importe la recette d'escargots, éviter les cuissons longues ; ces petites « bestioles » n'aiment pas, elles deviennent caoutchouteuses.

La polenta : Malgré le fait que la polenta ait été un des mets favoris de Napoléon Ier, ce plat n'est pas un mets très répandu en Amérique du Nord, exception faite des familles italiennes. Et pourtant la polenta mérite d'être connue. Ne ménagez pas votre énergie lorsque vous la remuez avec votre cuillère de bois, elle n'en sera que meilleure. Sans oublier un peu de parmesan pour « faire italien ». La polenta se marie très bien avec poissons et crustacés.

...gots

...ce d'été

Pour quatre personnes :

Pour la marinade :
- 36 escargots
- 30 g (1 oz) d'échalote hachée
- 80 ml (¹⁄₃ tasse) d'huile d'olive
- Jus d'un demi-citron
- 15 g (1 c. à soupe) de basilic frais haché

Pour la polenta :
- 300 ml (1¹⁄₄ tasse) d'eau
- 180 ml (²⁄₃ tasse) de vin blanc
- 90 g (3 oz) de semoule de maïs
- 20 g (²⁄₃ oz) de parmesan râpé
- Sel et poivre

Pour la brochette :
- 24 raisins verts (sans pépin de préférence)
- 12 petites têtes de champignon
- 30 g (1 oz) de beurre

Pour la sauce :
- 30 g (1 oz) de poivron rouge épépiné
- Une demi-tomate épépinée
- 30 g (1 oz) de concombre épluché et épépiné
- 30 g (1 oz) de céleri
- 2 pruneaux frais dénoyautés
- Sel et poivre

Pour la décoration :
- Feuilles de basilic

Égoutter les escargots. Préparer la marinade avec l'échalote hachée, l'huile d'olive, le jus de citron et le basilic haché. Ajouter les escargots et laisser mariner pendant 2 heures au réfrigérateur. Garder le liquide de la marinade pour la sauce.

Dans une casserole, amener à ébullition l'eau et le vin blanc. Saler. Saupoudrer en pluie la semoule de maïs au-dessus de ce liquide tout en remuant sans cesse avec une cuillère de bois afin d'éviter la formation de grumeaux. La polenta gonfle. Continuer de remuer pendant encore 5 bonnes minutes. Verser la polenta dans quatre petits moules et laisser refroidir sur le comptoir puis au réfrigérateur.

Faire 12 petites brochettes en intercalant 3 escargots et 2 raisins verts, pour terminer avec une tête de champignon.

Pour confectionner la sauce, déposer dans le mélangeur poivron rouge, tomate, concombre, céleri et pruneaux. Mélanger et incorporer le liquide de la marinade. Le mélange de la sauce doit garder l'aspect d'une purée de légumes liquide. Vérifier l'assaisonnement.

Au moment de servir, démouler la polenta. Saupoudrer de parmesan et passer au four à 350 °F (175 °C) de 7 à 8 minutes.

Faire fondre le beurre dans une casserole et cuire les brochettes d'escargots de 5 à 6 minutes. Assaisonner. Réchauffer doucement la sauce. Déposer la polenta dans l'assiette et verser la sauce. Disposer harmonieusement les brochettes. Décorer avec les feuilles de basilic.

Menu proposé :

Brochette d'escargots aux raisins, polenta, sauce d'été
Filet d'agneau sous croûte dorée
Crème à l'estragon, sauce au safran

Faire les brochettes en intercalant escargots, raisins verts et tête de champignon.

Pour le montage de l'assiette, déposer la polenta.

Puis la sauce (réchauffée).

Terminer avec les brochettes.

Le Vin

A-t-on idée de faire des brochettes avec des escargots?
Faites-en l'essai, vous y reviendrez souvent, surtout si vous les arrosez avec un gentil vin bien frais et de bonne tenue.
Muscadet de Sèvre-et-Maine, sur lie, AC, Cherreau-Carré
Grave del Friuli, Saster Sauvignon, DOC, Friulvini (Italie) (*)

La cuisine n'est pas uniquement des recettes.

Le foie gras : Sans conteste l'un des mets les plus prestigieux de la gastronomie. Le foie gras provient du foie d'oie ou de canard préalablement engraissé de façon spéciale appelée « gavage ». Une fois adulte, l'oie ou le canard est gavé durant trois à cinq semaines, c'est-à-dire qu'on lui fait absorber deux ou trois fois par jour une pâte de maïs. C'est un procédé sans aucun doute « cruel », mais malheureusement inévitable pour l'obtention des foies de huit à dix fois plus gros que nature. Il est alors traité selon la consommation, soit poêlé frais comme dans la présente recette ou bien cuit en terrine, en torchon ou mis en conserve.

Foie gras chaud,
pommes sautées, saveu

La pomme : Une façon efficace d'épépiner une pomme est d'utiliser une cuillère à pomme parisienne. Cet ustensile nous permet de faire des boules et on parvient ainsi à retirer le coeur de la pomme très facilement.

Le Québec est le « paradis de la pomme », puisqu'on en cultive une multitude de variétés. Il faut cependant trouver la bonne pomme pour la bonne utilisation. Pour la cuisson, la « Spartan » ainsi que la « Cortland » sont celles qui se comportent le mieux à la chaleur, c'est-à-dire au four, en tarte ou à la poêle. De plus, la « Cortland » ne noircit pas (ne s'oxyde pas) ; elle est donc idéale pour les salades. La « McIntosh » fera les meilleures compotes. Vous pourrez également les croquer, car ce sont les plus sucrées et les plus juteuses. La « McIntosh » et la « Golden » sont les plus savoureuses.

Le porto : Cette boisson apporte à cette recette le goût sucré, le velouté et le moelleux pour enrober ce nec plus ultra qu'est le foie gras. Le vrai porto provient de Porto au Portugal. Les autres, d'Afrique du Sud, d'Australie, de Californie, d'Amérique du Nord et du Sud, ne sont pas des portos. Il s'agit plutôt d'un vin doux naturel, viné par l'addition d'eau de vie.

« Vintage », « Ruby », « Tawiny », vieux de 25 à 30 ans d'âge. Le porto est très populaire en France sous forme d'apéritif, et en Angleterre à la fin du repas.

En cuisine, avec des crustacés, du poisson, des ris de veau ou en sabayon, il s'avère un excellent mariage.

e porto

Pour quatre personnes :

- 500 g (1 lb 2 oz) de foie gras de canard frais
- 125 ml ($^1/_2$ tasse) de porto
- 2 pommes à cuire
- 15 g ($^1/_2$ oz) de beurre
- 15 g ($^1/_2$ oz) de sucre
- 20 g ($^2/_3$ oz) de farine
- Sel et poivre

Pour la décoration :
- Ciboulette en fleurs

Réduire le porto à la moitié de son volume en le faisant bouillir. Garder au chaud.

Éplucher, couper en deux, épépiner et trancher les pommes. Dans une poêle, faire fondre le beurre et ajouter le sucre en le saupoudrant uniformément sur le beurre. Poser les tranches de pommes et les retourner après quelques dizaines de secondes. Les tranches de pommes seront alors bien caramélisées tout en étant moelleuses. Garder au chaud.

Trancher 8 escalopes de foie gras d'environ 15 mm en le prenant de biais.

Passer les escalopes dans la farine en prenant la précaution d'en enlever l'excédent. Dans une poêle anti-adhésive bien chaude, cuire environ 45 secondes de chaque côté les tranches de foie gras. Saler et poivrer au moulin à poivre.

Dans l'assiette, déposer le foie gras et les tranches de pommes caramélisées.

Verser le porto. Décorer avec la ciboulette en fleurs.

Menu proposé :

Foie gras chaud, pommes sautées, saveur de porto
Lasagne de homard au pavot
Gratin de litchis au sabayon de gingembre

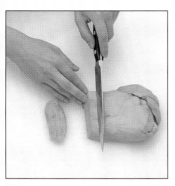

Trancher les escalopes de foie gras.

Dans une poêle anti-adhésive bien chaude, cuire environ 45 secondes de chaque côté.

Passer les escalopes dans la farine...

...en prenant la précaution d'en enlever l'excédent.

Le Vin

Le porto s'impose, d'évidence. Mais on pourra opter pour un vin plus simple, pour autant qu'il soit plus doux. La sauce s'y mariera à merveille.
NOTE: Gardez-vous un peu de ce vin pour le dessert...
Taylor Fladgate, LBV (Portugal)
Ch. du Cros, AC Loupiac, M. Boyer (*)
Sichel Novum, Rheinhessen, Qualitätswein (Allemagne)

Les huîtres : Pour ouvrir les huîtres, engager la pointe du couteau dans la charnière puis faire glisser la lame entre les deux coquilles tout en exécutant une pression pour lever la partie supérieure. Pour réussir des huîtres chaudes, surtout ne pas trop les cuire. Elles doivent rester moelleuses. Une trentaine de secondes suffisent pour les cuire.

Le caviar de saumon : Oeufs de saumon ou caviar de saumon ? Seuls les oeufs ont droit à cette appellation. Tous les autres peuvent faire illusion, mais ne seront que des imitations. Parlant de vrai caviar, on peut dire aussi qu'il en existe trois variétés : le béluga, l'ossetra et le sevruga. Si le mot « molossol » figure sur l'étiquette, cela signifie simplement que le caviar est peu salé. Même si les autres oeufs de poisson ne peuvent prendre l'appellation « caviar », ceci ne les empêche pas d'être savoureux. Mentionnons les oeufs de saumon. Les oeufs de corégone sont mes préférés...aussi pour leur coût.

Huîtres au cavia

de saumon et brouillaa

au saumon fumé

Les oeufs brouillés : Pour réussir des oeufs brouillés moelleux, utiliser un bain-marie pour les cuire. Et surtout ne pas cesser de fouetter. Si les oeufs brouillés prennent trop rapidement dans la casserole, verser la crème qui arrêtera la cuisson et leur donnera onctuosité.

Le saumon fumé : Si le saumon fumé doit être tranché, utiliser ce long couteau spécial appelé couteau à trancher, à bout arrondi, qui facilitera la tâche et fera un bien meilleur travail.

'oeufs

Pour quatre personnes :

Pour les huîtres :
- 8 huîtres
- 30 g (1 oz) d'échalote hachée
- 125 ml (^{1}/$_2$ tasse) de crème 35 %
- Poivre

Pour la brouillade d'oeufs :
- 90 g (3 oz) de saumon fumé
- 4 oeufs
- 15 g (^{1}/$_2$ oz) de beurre
- 75 ml (^{1}/$_4$ tasse) de crème 35 %
- Sel et poivre

Pour la décoration :
- 150 g (5 oz) de gros sel teinté avec du colorant bleu
- 15 g (^{1}/$_2$ oz) de caviar de saumon
- 8 brins de ciboulette

Ouvrir les huîtres et récupérer le jus dans une casserole. Conserver les huîtres ainsi que leurs coquilles. Ajouter dans cette casserole l'échalote et laisser bouillir 30 secondes. Ajouter la crème et réduire de moitié. Poivrer. À la dernière minute, ajouter les huîtres pour les pocher 30 secondes dans cette sauce.

Couper le saumon fumé en lanières.

Dans un récipient, casser les oeufs de manière à ne briser que le haut de la coquille afin de réserver le reste pour le service. Battre les oeufs. Dans une casserole à feu doux, ajouter le petit morceau de beurre puis verser les oeufs. À l'aide d'un fouet, cuire tout en brassant. Lorsque les oeufs sont presque cuits, ajouter la crème et cuire encore quelques secondes. Saler et poivrer légèrement. Ajouter les lanières de saumon fumé.

Dans le fond de chaque assiette, étendre le gros sel coloré qui permettra de tenir les coquilles d'huîtres à l'horizontale. Verser ensuite la brouillade d'oeufs dans ces coquilles d'huîtres avec le caviar de saumon pour décorer. Dans la coquille d'oeuf déposée dans son coquetier, verser les huîtres et la sauce avec les brins de ciboulette pour décoration.

Menu proposé :

Huîtres au caviar de saumon et brouillade d'oeufs au saumon fumé
Filet de boeuf à la saveur de sirop d'érable et moutarde de Meaux, fenouil braisé et pommette
Mille-feuilles au chocolat et physalis au sirop

Ouvrir l'huître en la posant bien à plat dans le creux de la main. Protéger celle-ci avec une serviette.

Retirer l'huître de sa coquille.

À l'aide d'un couteau à huîtres, enfoncer la partie étroite de l'huître (appelée charnière) en faisant un léger mouvement de rotation.

Le Vin

À lire cette recette, on a envie de la goûter. Il faudra alors un vin bien typé. On dit que le sous-sol du vignoble de Chablis est composé de fossiles d'huîtres. Alors, ça s'impose.
Chablis, Champs royaux, AC, W. Fèvre
Chardonnay, Bin 65, Lindemans (Australie)

Longer le côté de l'huître ainsi que la coquille du dessus.

Les ris : Ce sont les thymus des jeunes animaux (veau, agneau). Au fur et à mesure que les animaux grandissent, cette glande se résorbe. Le ris est constitué de deux lobes : un lobe long appelé « gorge » et un lobe rond appelé « noix ».

Puisque nous parlons d'abats, un mot sur deux abats que nous confondons bien souvent : « animelles » et « amourettes ». Les amourettes sont la moelle épinière du boeuf et du veau. Ma grand-mère les préparait admirablement bien. Quant aux animelles, il s'agit du nom pudique pour désigner les testicules d'un animal. Peut-être confondons-nous ces deux noms parce qu'il est plus agréable d'utiliser l'appellation poétique « amourettes » pour désigner des testicules.

Ravioli de ris de

à l'orientale

La galette de riz : Il faut tremper la galette de riz dans l'eau chaude afin de pouvoir la manipuler. Cette opération n'est pas longue ; dès que la galette est complètement humectée, on peut la retirer de l'eau.

Les olives noires...olives vertes : La différence entre les deux : la première est cueillie à maturité et la deuxième est récoltée immature. Nous les retrouvons principalement dans tout le bassin méditerranéen, en Espagne, en Italie, en Grèce, au Maroc et aussi en Californie et au Mexique.

Les olives « calamata » de Grèce sont une des variétés appréciées pour leur saveur.

Les olives en saumure seront plus savoureuses si vous les conservez dans l'huile d'olive après les avoir sorties de leur conserve.

L'ail : Quand on a des réticences pour l'ail, il faut en extraire le germe. Couper alors la gousse en deux dans le sens de la longueur et retirer le germe sans difficulté avec la pointe d'un couteau.

La sauce : L'opération du beurre pour terminer la sauce s'appelle « monter la sauce au beurre ». Elle lui donnera onctuosité, saveur et brillance.

eau

- 450 g (1 lb) de ris de veau
- ¹/₂ oignon
- 1 feuille de laurier
- Sel
- Eau froide

Pour la farce :
- 45 ml (3 c. à soupe) d'huile d'olive
- ¹/₂ oignon haché
- 1 gousse d'ail hachée
- 2 tomates pelées, épépinées et coupées en morceaux
  (voir recette des Aiguillettes de canard)
- 125 ml (¹/₂ tasse) de vin blanc

Pour les ravioli :
- 4 grandes ou 16 petites galettes de riz

Pour la sauce :
- 125 ml (¹/₂ tasse) de martini rouge
- 24 olives noires dénoyautées et hachées
- 30 g (1 oz) de beurre
- Herbes fraîches (basilic, thym)
- Sel et poivre

Pour la décoration :
- Thym frais

Cuire les ris de veau en les disposant dans une casserole avec l'oignon et une feuille de laurier. Saler. Recouvrir d'eau froide et porter à ébullition. Laisser frémir pendant 15 à 20 minutes. Retirer du feu et rafraîchir sous l'eau froide. Retirer les ris de veau de l'eau puis les parer en retirant la membrane qui les recouvre. Égrener les ris de veau. Réserver.

Pour la farce, faire revenir dans l'huile d'olive l'oignon et l'ail pendant 1 minute. Ajouter les tomates et les ris de veau. Laisser cuire 1 à 2 minutes. Verser le vin blanc et cuire pendant 5 minutes. Couler le tout dans une passoire en conservant le jus de cuisson pour la sauce. Confectionner les ravioli en faisant tremper les galettes de riz dans l'eau chaude quelques minutes. Égoutter. À l'intérieur de chaque galette, placer un peu de farce et faire ainsi 16 jolis baluchons en enroulant la galette avec la farce. Réserver.

Faire la sauce en réduisant le jus de cuisson de moitié. Ajouter le martini rouge et les olives noires hachées et réduire à nouveau de moitié. Additionner le beurre et fouetter jusqu'à complète incorporation. Ajouter les herbes fraîches hachées. Vérifier l'assaisonnement.

Pour le service, placer les ravioli dans le fond d'un couscoussier ou dans une marguerite ou selon votre méthode préférée de cuisson à la vapeur. Cuire quelques minutes.

Déposer dans le fond de chaque assiette 4 ravioli. Napper de sauce. Décorer avec du thym frais.

Menu proposé :

Ravioli de ris de veau à l'orientale
Mille-feuilles de flétan à la brunoise de légumes, sauce au safran
Gratin de litchis au sabayon de gingembre

Cuire les ris de veau.

Égrener.

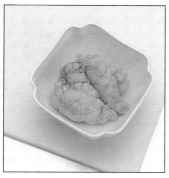

Rafraîchir sous l'eau froide.

Le Vin

Le ris de veau est un mets délicat. On peut ne pas tenir compte du martini rouge. Si on veut, on peut servir un vermouth avec ce plat. On préférera peut-être un vin blanc rond et fin, ou encore un rouge bien fait puisque la Côte Chalonnaise est offerte dans les deux versions.
Ch. Doisy Daëne, AC Bordeaux, P. Dubourdieu (*)
Côte Chalonnaise, AC, Louis Roche, blanc et rouge

Parer en retirant la membrane qui les recouvre.

Le byssus des moules : Le byssus est la petite touffe de sécrétions par laquelle les moules se fixent sur un support. Après avoir lavé les moules (il ne faut pas les faire tremper), retirer ce byssus puis cuire aussitôt les moules. Trop cuites, les moules se racornissent et sont moins savoureuses.

Le poireau taillé en julienne : Pour faire une julienne, couper en deux le poireau dans le sens de la longueur. Ensuite, avec une des moitiés à plat sur une planche, tronçonner en plusieurs morceaux de la longueur de julienne voulue. Couper ensuite en tranches minces dans le sens de la longueur. Le poireau ne se râpe pas comme la carotte.

Tour de
moules et crevettes
aux poireaux en galette de terre, sauce au persil

La sauce au persil : Une fois cette sauce terminée, elle doit être tenue au bain-marie. Si la sauce était portée à ébullition, elle se séparerait, c'est-à-dire que les éléments liquides ne seraient plus assemblés, ce qui donnerait un jus granuleux.

Le persil frit : Pour la garniture de ce plat, du persil frit pourrait être utilisé. Voici comment procéder. Choisir du persil frisé, bien le laver, l'essorer et le ficeler en bouquets. Le plonger dans une friture bien chaude. Dès que les feuilles de persil sont raidies, sortir le bouquet et le poser sur un papier absorbant. Une garniture classique qui peut accompagner plusieurs plats frits.

ommes

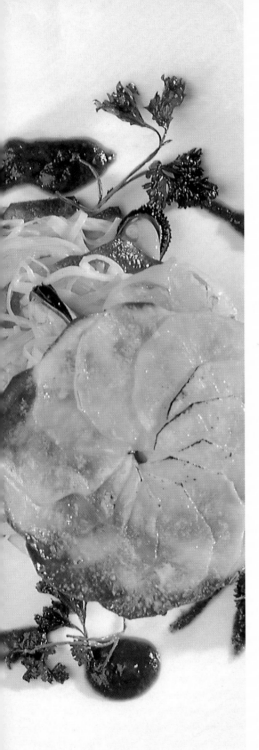

Pour quatre personnes :

- 24 moules
- 16 crevettes moyennes décortiquées
- 45 ml (3 c. à soupe) de vin blanc
- 30 g (1 oz) d'échalote hachée
- 30 ml (2 c. à soupe) d'huile d'olive
- 2 poireaux moyens en julienne
- 125 ml (½ tasse) de crème 35 %
- Muscade, sel et poivre

Pour les galettes :
- 6 petites pommes de terre
- Huile d'olive
- Sel et poivre

Pour la sauce :
- 250 g (8 oz) de persil
- 60 ml (4 c. à soupe) de jus de moules

Pour la décoration :
- Persil frit

Préparer les galettes en épluchant et en coupant les pommes de terre en rondelles de l'épaisseur d'une pièce de monnaie. Sur une feuille de papier sulfurisé (papier ciré) huilée et posée sur une plaque allant au four, arranger les tranches en forme circulaire de manière à faire un rond d'environ 8 cm (3 po) de diamètre. Faire 12 galettes. À l'aide d'un pinceau, huiler la surface des galettes, saler et poivrer. Cuire dans un four à 375 °F (185 °C) de 5 à 10 minutes, jusqu'à ce que les galettes deviennent dorées.

Ouvrir les moules. Dans une casserole, verser le vin blanc et ajouter une partie de l'échalote. Sur le feu, ajouter les moules. Poivrer et laisser cuire environ 5 minutes. Retirer les moules de leur coquille. Garder au chaud. Filtrer le jus.

Pour la sauce, passer le persil dans un extracteur à jus. Ensuite, dans un mélangeur, ajouter le jus de moules au jus de persil et laisser tourner de 2 à 3 minutes de manière à obtenir un jus homogène. Vérifier l'assaisonnement. Garder cette sauce au chaud, au bain-marie.

Pour les crevettes, sauter le reste de l'échalote dans une casserole avec l'huile d'olive. Ajouter les crevettes. Cuire doucement de 2 à 3 minutes, selon la grosseur. Retirer les crevettes de la casserole et ajouter la julienne de poireaux et cuire de 3 à 4 minutes. Verser la crème 35 % et réduire de moitié. Saler, poivrer et ajouter une pincée de muscade. Réchauffer les crevettes dans la sauce aux poireaux.

Pour le service, déposer dans le fond de chaque assiette une galette de pommes de terre. Y ajouter les poireaux, 2 crevettes, 3 moules et recommencer l'opération. Terminer par une galette. Verser la sauce au persil autour et décorer avec le persil frit.

Menu proposé :

Tour de moules et crevettes aux poireaux en galette de pommes de terre, sauce au persil

Médaillon de veau au jus de carottes, tarte à l'aubergine

Tarte chaude aux pommes et aux figues, gongonzola et larme de porto

*Dresser l'assiette en déposant une
galette de pommes de terre.*

*Recommencer l'opération. Verser
la sauce au persil autour et
décorer avec le persil frit.*

Ajouter les poireaux.

Le Vin

*Une jolie assiette, aussi agréable à regarder qu'à goûter, qui
appelle un vin sec, au fruit bien net et persistant, qui fera
ressortir les saveurs iodées des fruits de mer, comme un blanc
de Toscane ou un Val de Loire aromatique.
Pomino, DOC, Frescobaldi, Toscane (Italie)
Pouilly-Fumé, AC, H. Bourgeois (*)*

Puis les crevettes et les moules.

Car manger, c'est exister.

Le gaspacho : En Espagne, le gaspacho est une soupe traditionnelle faite de peu de chose. La maîtresse de maison détient souvent le secret du goût par son improvisation et les aliments qu'elle aura sous la main.

Les épinards : Nul besoin de couteau pour retirer la côte ou nervure centrale des branches d'épinards. Il suffit de plier la feuille en deux, la tenir d'une main et tirer d'un coup sec sur cette nervure avec l'autre main. Et le tour est joué. Éviter d'utiliser un récipient en aluminium pour cuire les épinards car l'acidité de ceux-ci pourraient les abîmer. De plus, éviter la cuisson à l'eau, car ils sont très riches en sels minéraux et ce serait en perdre le bénéfice.

Gaspacho rafraîch

d'épinards, crevettes au be
et têtes de violon, huile de

Les têtes de violon : On ne peut malheureusement les garder fraîches longtemps car la saison de ces fameuses pousses de fougères est courte et très concentrée. On peut s'en faire une provision au congélateur après les avoir blanchies et les avoir déposées dans des sacs de plastique. On ne peut pas dire que les têtes de violon aient un goût très fin. Un assaisonnement adéquat avec des herbes fraîches telle la sauge ou le cerfeuil aideront à relever le goût un peu fade de ces pousses sauvages.

L'huile de noisette : Puissante et au goût très fort. Pour cette raison, il est conseillé de la réduire avec une autre huile (l'huile d'olive par exemple). Aussi, dès que vous ouvrez une nouvelle bouteille, il faut la conserver au réfrigérateur pour éviter qu'elle rancisse. Étant donné son coût, il est préférable de l'acheter en petite quantité.

Pour quatre personnes :

- 200 g (7 oz) d'épinards
- 12 grosses crevettes
- 20 têtes de violon
- 250 ml (1 tasse) de yogourt nature
- 350 ml (1^1/$_3$ tasse) de lait
- Sel
- 125 ml (^{1}/$_2$ tasse) d'huile d'olive
- 20 g (^{2}/$_3$ oz) de beurre
- Poivre
- 25 ml (1^1/$_2$ c. à soupe) d'huile de noisette

Pour la décoration :
- Quelques feuilles d'épinards
- Noisettes entières

Laver, trier et équeuter les épinards et garder quelques feuilles pour la décoration. Faire revenir dans une poêle anti-adhésive huilée pendant 1 ou 2 minutes.

Dans un mélangeur, mettre les épinards, le yogourt, le lait et un peu de sel.

Mélanger en incorporant progressivement l'huile d'olive. Le gaspacho doit être crémeux.

Rectifier l'assaisonnement et tenir au frais.

Cuire dans l'eau bouillante salée les têtes de violon pendant 4 à 5 minutes, égoutter et tenir au chaud.

Déposer le beurre dans une poêle anti-adhésive chaude et saisir les crevettes en les remuant sans cesse pendant quelques minutes. Poivrer et réserver au chaud.

Dans un bol creux, verser le gaspacho d'épinards qu'on décorera avec les feuilles d'épinards.

Dans une assiette plate, déposer les crevettes, les têtes de violon et les noisettes.

Quelques gouttes d'huile de noisette seront dispersées dans l'assiette.

Menu proposé :

Gaspacho rafraîchi d'épinards, crevettes au beurre et têtes de violon, huile de noisette

Pétoncles à l'orange et au poivre vert

Tatin aux poires

Équeuter les épinards en les lavant dans l'eau froide.

Plier la feuille en deux, la tenir d'une main et tirer d'un coup sec sur la nervure centrale avec l'autre main.

Les transférer sur un linge propre.

Le Vin

On pourrait s'abstenir de vin avec les assiettes liquides. Si on y tient, on peut continuer avec le vin de l'entrée ou encore, dans le cas présent, y aller avec un vin espagnol bien fait pour s'allier avec la soupe.
Masia Bach, seco, Penedes (Espagne)
Ch. Bonnet, Réserve du Château, AC Entre-deux-mers

Les égoutter.

La soupe avec pâte feuilletée : Une des soupes les plus connues recouvertes d'une pâte feuilletée fut sans contredit celle que Paul Bocuse fit en 1975 pour le président de la République française de l'époque, lorsqu'il reçut la Croix de la Légion d'honneur. Il s'agit de la Soupe aux truffes Élysées composée d'un consommé de volaille, de truffes et de foie gras. Ça ne pouvait qu'être succulent !

Il faut vraiment que la pâte soit bien fixée hermétiquement sur la tasse. Si cette opération est mal faite, vous risquez de voir votre pâte non cuite, baignant sur votre soupe. Le bon résultat serait de voir le feuilletage se développer sous l'effet de la chaleur et d'obtenir une belle couleur dorée à la fin de la cuisson.

Je donne quelques conseils sur la pâte feuilletée dans la recette de Wellington de poisson.

Soupe de crabe
à la vanille

La vanille : C'est le fruit d'une orchidée grimpante. Originaire du Mexique, elle est aussi cultivée à Madagascar, en Amérique centrale et à Puerto Rico. Malgré son prix élevé, préférez la vanille en gousse. Elle doit être charnue, tendre, brun très foncé et longue. Évitez la vanille cassante et sèche.

Dans certaines recettes, on vous conseillera de fendre la gousse en deux. Il est vrai qu'elle vous donnera beaucoup plus de saveur. Par contre, la préparation que vous aurez faite se retrouvera avec une multitude de petits points noirs qui pourront gâcher l'aspect esthétique d'une crème anglaise par exemple. Utilisez alors une gousse neuve. Une gousse de bonne origine et de bonne qualité peut être utilisée deux ou trois fois. La laver soigneusement et bien l'envelopper pour la conserver, ce qui lui évitera de trop sécher et de perdre son arôme.

Le concentré de tomates : S'il vous en reste, le transférer dans une tasse, verser quelques gouttes d'huile par-dessus et recouvrir d'un papier plastique. Le concentré se conservera beaucoup plus longtemps et ne desséchera pas.

Aussi, pour en retirer l'amertume, le truc le mieux connu est d'y ajouter une pincée de sucre. Essayer aussi de cuire le concentré de tomates sur le feu dans une casserole quelques minutes. C'était une vieille « combine » d'un de mes anciens chefs.

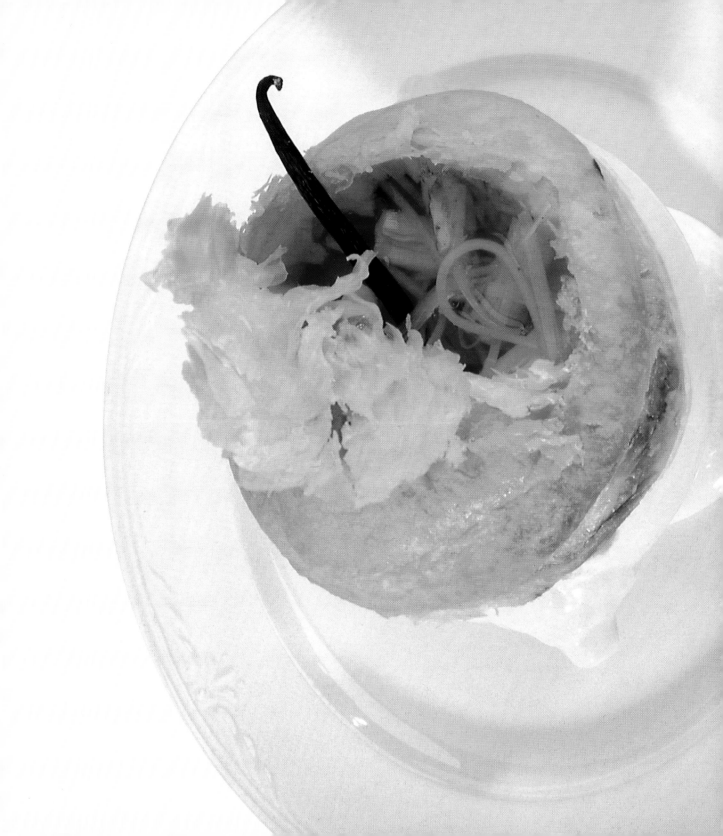

Pour quatre personnes :

- 120 g (4 oz) de chair de crabe
- 30 g (1 oz) de beurre
- 60 g (2 oz) de julienne de poireau
- 60 g (2 oz) de brunoise de carotte
- 60 g (2 oz) de brunoise de céleri
- 60 g (2 oz) d'oignon haché
- 1 gousse d'ail hachée
- 15 ml (1 c. à soupe) de concentré de tomates
- 2 tomates fraîches pelées, épépinées et coupées en morceaux (Voir recette des Aiguillettes de canard fumé)
- $^3/_4$ l (3 tasses) de fumet de poisson (voir Recettes de base)
- 1 pincée de safran
- 2 gousses de vanille
- 4 ronds de pâte feuilletée (un peu plus grands que la grandeur du bol)
- 1 jaune d'oeuf pour la dorure

Dans une casserole avec du beurre, faire suer la julienne de poireau, la brunoise de carotte et de céleri, l'oignon et l'ail hachés. Ajouter le concentré de tomates et les tomates. Laisser cuire le tout quelques minutes et ajouter le fumet de poisson. Ajouter ensuite quelques pistils de safran et laisser mijoter 30 minutes.

Mettre la chair de crabe dans le fond de chaque bol. Verser la soupe.

Mettre $^1/_2$ gousse de vanille dans chaque bol.

Avec le jaune d'oeuf, badigeonner le tour de la pâte feuilletée que l'on déposera sur le bol. Pour que la pâte colle bien, presser sur la pâte autour du bol. Badigeonner ensuite le dessus de la pâte. Cuire au four 15 minutes environ à 350 °F (175 °C). Servir aussitôt.

Menu proposé :

Soupe de crabe à la vanille
Râble de lapin au miel et au poireau
Beignets aux fruits rouges, sorbet aux pêches, sauce épicée

Préparer la soupe et la verser dans des bols.

Afin que la pâte colle bien, presser sur la pâte autour du bol.

Avec le jaune d'oeuf, badigeonner le tour de la pâte feuilletée.

Le Vin

La même remarque que le gaspacho s'applique à cette présentation, à savoir qu'on peut s'abstenir de vin avec les assiettes liquides. Toutefois, on aimera peut-être verser un Chablis. On dit que le sous-sol du vignoble de Chablis comporte des fossiles de coquilles d'huîtres, alors...
Ch. Roquetaillade la Grange, AC Graves, P. Guignard
Grave del Friuli, Pinot Grigio, DOC, Collavini (Italie)

Déposer la pâte sur le bol.

La cuisine est comme un piano. Nous avons une gamme de produits à utiliser que l'on transforme différemment, et cela donne une autre musique.

Les gourganes : Choisir les gourganes dont les gousses sont bien gonflées. Lorsqu'elles sont plates, les gourganes ne peuvent pas contenir de gros grains.

Après avoir sorti les gourganes de leur enveloppe et les avoir cuites à l'eau bouillante, il faut retirer la peau qui les entoure. C'est une opération qui peut également se faire avant la cuisson. Si vos gourganes sont bien fraîches, elles pourraient alors être sautées crues quelques minutes dans une poêle avec du beurre, après avoir été épluchées.

La matignon d'endives : La définition de matignon dans le cas présent signifie principalement la grosseur de la coupe de l'endive, c'est-à-dire des tronçons d'environ $1^1/_2$ pouce.

Blanc de morue
aux gourganes et mat
d'endives

L'endive : L'endive est née par hasard de l'étourderie d'un jardinier bruxellois qui avait oublié des racines de chicorée sauvage dans un coin sombre mais chaud de son potager. Il constata que les racines oubliées avaient donné naissance à une salade nouvelle aux feuilles blanches, croquantes et serrées.

Pour nettoyer les endives, on les essuie tout simplement. Éviter de les laver à l'eau car celle-ci favorise l'amertume. La pincée de sucre et le jus de citron ajoutés à la cuisson atténuent aussi l'amertume que peut avoir l'endive.

Monter au beurre : Dans la dernière opération de la sauce, nous incorporons le beurre au jus de moules et au fond de cuisson. Si vous avez à votre disposition un mélangeur à main (mélangeur électrique à une tige munie d'un couteau au bout), utilisez-le dans cette opération ; vous aurez immédiatement une sauce homogène et éviterez ainsi l'opération avec le mélangeur.

on

Pour quatre personnes :

- 4 filets de morue de 150 g (5 oz) chacun
- 80 g (3 oz) de gourganes
- 4 endives
- 24 moules
- 125 ml ($\frac{1}{2}$ tasse) de vin blanc
- 15 g ($\frac{1}{2}$ oz) d'échalote hachée
- $\frac{1}{2}$ poivron rouge
- Jus d'un citron
- 10 g ($\frac{1}{3}$ oz) de sucre
- 120 g (4 oz) de beurre
- Sel et poivre

Pour la décoration :
- Cerfeuil frais

Dans une casserole avec un peu de vin blanc et l'échalote, ajouter les moules et laisser cuire 7 à 8 minutes, jusqu'à ce qu'elles s'ouvrent. Défaire les moules ; les conserver. Passer le jus de moules qui servira pour la sauce.

Défaire les gourganes de leur gousse et les cuire dans l'eau bouillante salée une dizaine de minutes. Rafraîchir sous l'eau froide et retirer la peau. Les sauter dans une poêle avec un peu de beurre. Saler et poivrer. Conserver.

Épépiner et couper en petits dés (brunoise) le poivron rouge. Les blanchir 1 à 2 minutes dans l'eau bouillante. Égoutter et conserver.

Débarrasser les endives de leurs premières feuilles et de leur extrémité dure. Tailler les endives en gros morceaux. Dans une poêle anti-adhésive, les faire sauter à feu doux avec le jus de citron et le sucre. Réserver.

Pocher les filets de morue en les déposant sur une plaque allant au four. Ajouter le reste du vin blanc. Saler et poivrer. Recouvrir d'un papier d'aluminium et cuire 7 à 8 minutes dans un four à 375 °F (185 °C). Garder au chaud. Récupérer le fond de cuisson pour la sauce.

Terminer la sauce en réduisant de moitié le jus de moules et le fond de cuisson des filets de morue. À l'aide d'un fouet, ajouter le beurre petit à petit (monter au beurre). Verser ensuite cette sauce dans votre mélangeur et laisser tourner 1 minute de façon à la rendre homogène. Vérifier l'assaisonnement. Garder au chaud.

Dresser l'assiette en déposant d'abord les endives, ensuite la morue. Verser la sauce autour du poisson. Déposer harmonieusement les moules, les gourganes et les dés de poivron rouge. Décorer avec le cerfeuil.

Menu proposé :

Gaspacho rafraîchi d'épinards, crevettes au beurre et têtes de violon, huile de noisette

Blanc de morue aux gourganes et matignon d'endives

Tatin aux poires

Faire une brunoise de poivron rouge.

Puis en brunoise (petits dés).

Les couper en deux et les épépiner.

Le Vin

L'accompagnement de ce blanc de morue est particulier. On optera pour un vin blanc de bonne structure et d'une longueur certaine, offrant des parfums marins et des saveurs végétales.
Saint-Jovian, Yvon Mau, AC Bordeaux
Mâcon Viré, Louis Roche, AC

Les couper en julienne (fines lanières).

Le pesto aux tomates séchées : Le pesto classique et le plus connu se fait avec du basilic. Essayez celui-ci en remplaçant le basilic par la tomate séchée. Vous trouverez la tomate séchée dans les épiceries spécialisées sous deux formes : déjà marinée dans l'huile dans de petits bocaux vendus souvent à un prix élevé compte tenu de la quantité, ou à l'état sec, achetée en vrac, qui vous obligera...mais là quel plaisir !...à les faire mariner. Dans un bocal, recouvrir les tomates d'huile d'olive et ajouter feuilles de laurier, basilic frais et gousse d'ail. Laisser macérer 2 à 3 semaines. Plutôt que de les mariner, on peut tout simplement les plonger quelques minutes dans l'eau bouillante, les essorer et les mélanger aux autres ingrédients.

Dorade fraîche
en croûte de saumon ;
pesto aux tomates séch

L'autre solution est de faire sécher vous-même vos tomates...et pourquoi pas ! Attendez la saison des bonnes tomates mûres et fraîches. Coupez-les en deux et pressez-les dans le creux de votre main pour en retirer les pépins. Salez légèrement puis laissez sécher au four à température peu élevée (200 °F / 90 °C) pendant 4 à 5 heures. Elles ne doivent pas cuire, mais plutôt sécher. Ensuite, procédez comme ci-haut. Le résultat risque d'être meilleur, car les tomates séchées en vrac sont parfois trop sèches pour s'imbiber d'huile d'olive et restent croquantes et non moelleuses comme elles devraient être.

Les pignons : Ce sont les graines de la pomme de pin. Leur saveur rappelle celle de l'amande et leur prix est assez élevé. Tous les pins ne donnent pas de pignons. L'espèce de pin appelée « pin parasol » donne ces graines comestibles.

Le parmesan : Certainement le plus célèbre des fromages durs. Originaire du Nord de l'Italie, le parmesan se présente sous forme de grandes meules cylindriques. On dit que sa maturation dure près de quatre ans et que sa conservation peut aller jusqu'à vingt ans. D'un goût corsé, parfois piquant...quelle saveur ! Que serait la cuisine italienne sans son parmesan ?

é,

Pour quatre personnes :

- 4 filets de dorade de 150 g (5 oz) chacun
- 60 g (2 oz) de saumon fumé haché
- 2 tomates mûres pelées, épépinées et hachées
- 1 gousse d'ail hachée
- 15 g (1 c. à soupe) de basilic haché
- 30 g (1 oz) de mie de pain
- Sel et poivre

Pour le pesto :
- 20 g (²/₃ oz) de tomates séchées
- 10 g (¹/₃ oz) de pignons
- 15 g (¹/₂ oz) de parmesan râpé
- 1 gousse d'ail hachée
- 1 goutte de jus de citron
- 125 ml (¹/₂ tasse) d'huile d'olive

Pour la décoration :
- 4 bouquets de mesclun (voir recette Tartare de pétoncles en robe de truite)
- Feuilles de basilic

Faire le pesto en mélangeant les tomates séchées, les pignons, le parmesan, l'ail et le jus de citron dans votre mélangeur. À faible vitesse, mélanger en ajoutant l'huile d'olive jusqu'à ce que le tout soit bien haché et mélangé. Réserver.

Mélanger le saumon, les tomates, l'ail et le basilic. Répartir ce mélange sur les filets de dorade préalablement assaisonnés. Étendre la mie de pain. Déposer les filets sur une plaque huilée allant au four. Cuire à 375 °F (185 °C) de 7 à 8 minutes, dépendant de l'épaisseur des filets. La mie de pain devra être légèrement dorée.

Dresser le poisson sur chaque assiette. Accompagner de mesclun. Tiédir et verser le pesto autour. Décorer avec les feuilles de basilic.

Menu proposé :

Ravioli de ris de veau à l'orientale
Dorade fraîche en croûte de saumon fumé, pesto aux tomates séchées
Tarte chaude aux pommes et aux figues, gorgonzola et larme de porto

Préparer les ingrédients pour le pesto aux tomates séchées.

Dans un mélangeur, mettre les tomates séchées, les pignons, le parmesan, l'ail et le jus de citron.

À faible vitesse, mélanger en ajoutant l'huile d'olive.

Réserver.

Le Vin

Voilà un plat raffiné et savoureux. Toutefois, la complexité des composantes peut laisser perplexe. Allons-y pour une bouteille qui alliera les mêmes qualités de diversité et de saveur.
Côtes du Rhône, blanc, Vallée d'Or, AC, Mommessin
Capitolare del Selvante, V.T. de Toscane, Frescobaldi (Italie)
(*)

Sentir, regarder, goûter. La cuisine est un jeu d'enfant.

Pocher : Dans la section des termes culinaires au début du livre, on parle de « pocher », soit cuire différents aliments dans un liquide pour une cuisson légèrement « frémissante ». Frémissante ne signifie pas bouillir. En terme de degré, le pochage ne doit pas dépasser 175 °F (80 °C). On peut pocher soit à l'eau (oeufs, saucisses, quenelles), dans un fond (poisson, volaille), soit au bain-marie au four (crème caramel, mousses de légumes), soit au bain-marie en fouettant (crèmes, sauces).

Le raifort : Plante originaire d'Orient que l'on retrouve à l'état sauvage. Il est cultivé en Europe et il est très utilisé en Allemagne tout particulièrement. Chez nous, nous retrouvons cette racine, au goût âcre et piquant, déjà râpée et préparée en bocal principalement.

Filet de truite

aux linguini multicolore
sauce au raifort, radis a.

Les radis : Ceux utilisés dans cette recette sont les plus connus, soit les radis roses. Il en existe une multitude, du noir au blanc en passant par le violet. Piquant ou doux, essayez-les, vous ferez des découvertes. Ils se mangent en général crus ; cuits, vous leur trouverez une nouvelle saveur.

Le pineau des Charentes : On raconte qu'au temps jadis, vers la fin du 16e siècle, un ouvrier dans les caves de cognac commit l'erreur de verser du vin nouveau dans un fût qui contenait encore une quantité de cognac. Le pineau des Charentes résulterait de cette négligence. Nous en consommons encore aujourd'hui. Il est devenu un apéritif très apprécié avec un niveau d'alcool variant entre 16° et 22°.

Le fumet de poisson : Peut être remplacé par une quantité égale de vin blanc.

ineau

Pour quatre personnes :

- 2 grosses truites en filets
- 90 g (3 oz) de radis
- 15 ml (1 c. à soupe) d'huile d'olive
- 45 ml (3 c. à soupe) de pineau des Charentes
- Sel et poivre
- Jus d'un demi-citron
- 200 g (7 oz) de linguini multicolores
- 30 g (1 oz) d'échalote hachée
- 125 ml (¹/₂ tasse) de vin blanc
- 125 ml (¹/₂ tasse) de fumet de poisson (voir Recettes de base)
- 125 ml (¹/₂ tasse) de vermouth blanc (Noilly Prat)
- 150 g (5 oz) de fromage à la crème (genre Philadelphia)
- 15 g (¹/₂ oz) de raifort râpé, préparé
- Sel et poivre

Pour la décoration :
- Cerfeuil

Équeuter, laver et couper les radis en julienne. Dans une poêle, chauffer l'huile d'olive et sauter la julienne de radis 1 à 2 minutes, puis ajouter le pineau des Charentes. Laisser cuire 2 à 3 minutes jusqu'à ce que le liquide soit presque réduit. Assaisonner. Ajouter le jus de citron. Garder au chaud.

Cuire les linguini « al dente » dans l'eau bouillante salée.

Pocher les filets de truite. Dans un plat allant au four, placer l'échalote hachée et y déposer les filets. Verser le vin blanc, le fumet de poisson et le vermouth blanc.

Placer sur le dessus un papier sulfurisé (ciré) et cuire au four à 375 °F (185 °C) pendant 7 à 8 minutes.

Récupérer le fond de cuisson dans une casserole et laisser réduire de moitié. Garder les filets de truite au chaud.

Ajouter le fromage à la crème au fond de cuisson. Amener à ébullition pour délayer le fromage. Ajouter le raifort râpé. Vérifier l'assaisonnement.

Placer les linguini dans le fond de chaque assiette. Déposer le filet de truite et verser la sauce autour. Placer harmonieusement les radis en julienne autour. Décorer de cerfeuil.

Menu proposé :

Foie gras chaud, pommes sautées, saveur de porto
Filet de truite aux linguini multicolores, sauce au raifort, radis au pineau
Mille-feuilles au chocolat et physalis au sirop

Lever les filets de truite à l'aide d'un couteau «filet de sole». Le déposer du côté de la tête afin de dégager celle-ci.

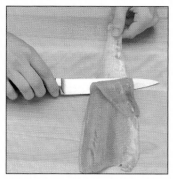

Retirer la peau en tenant cette dernière fermement d'une main et, de l'autre main, glisser le couteau bien à plat le long de la peau.

Longer l'arête centrale...

...jusqu'à la queue. S'il reste des arêtes, les enlever avec une pince à épiler.

Le Vin

Alors le raifort?...Ça peut être difficile, mais il y a des vins qui tiennent le coup. Alors, c'est un délice. Il importe de s'en tenir à un Bourgogne racé.
Pouilly-Fuissé, Dom. de la Chapelle, AC, Chartron-Trébuchet
Saint-Véran, AC, G. Duboeuf

Tu es ce que tu manges.

Le homard : Savez-vous comment distinguer le homard mâle du homard femelle ? Le ventre du mâle est concave, c'est-à-dire creusé, alors que celui de la femelle est convexe, c'est-à-dire courbé, voûté. Il faut bien qu'elle range ses oeufs quelque part. Certains disent que les femelles sont toujours meilleures que les mâles. Je ne saurais dire !...

Les graines de pavot : Il s'agit bien de la graine de pavot à opium provenant du Moyen-Orient et de l'Inde. Ces graines minuscules et croquantes sont inoffensives et ont un délicieux goût de noix. Elles parfument de bons plats mijotés ou cuits au four.
Si on confectionne soi-même la pâte à lasagne, on peut incorporer les graines à la pâte. Très original et agréable à l'oeil.

Lasagne de homard
au pavot

L'anis : Très apparenté à l'aneth, au fenouil, au carvi et au cumin, l'anis, avec son goût bien particulier, est souvent retrouvé dans certains alcools. Mentionnons le pastis en France, le fameux Ouzo en Grèce, le raki en Turquie et l'anisette en Italie et en Espagne. Il agrémente de nombreux plats comme ici le homard, mais aussi tous les crustacés et sauces accompagnant le poisson. On doit l'utiliser avec discernement dans sa quantité ; son arôme peut envelopper très fortement les autres saveurs.

Pour quatre personnes

- 4 homards de 450 g à 600 g (1 lb à 1 1/4 lb) chacun
- 250 g (8 oz) d'épinards
- Sel et poivre
- 8 pièces de lasagne verte

Duxelles de champignons :
- 240 g (8 oz) de champignons hachés
- 30 g (1 oz) d'échalote hachée
- 15 g (1/2 oz) de beurre
- Sel et poivre

Pour la sauce :
- Carcasse des homards
- 1 carotte
- 1/2 poireau
- 1 branche de céleri
- 1 tomate
- 45 ml (3 c. à soupe) d'huile d'olive
- 15 ml (1 c. à soupe) de brandy
- 250 ml (1 tasse) de crème 35 %
- Une pincée d'anis
- Une pincée de poivre de Cayenne
- Sel

Pour la décoration :
- 10 g (1/3 oz) de graines de pavot
- Pinces de homard
- Brins d'aneth

Cuire les homards dans l'eau bouillante salée pendant 20 minutes. Les refroidir et les décortiquer. Couper les queues en tronçons et conserver au chaud avec les pinces.

Cuire les lasagnes dans l'eau bouillante pendant environ 7 à 8 minutes. Rafraîchir et réserver.

Faire la Duxelles en faisant revenir l'échalote dans le beurre 1 à 2 minutes. Ajouter les champignons et laisser cuire 7 à 8 minutes, jusqu'à complète évaporation de l'eau de cuisson. Saler et poivrer. Garder au chaud.

Faire la sauce en préparant la garniture de légumes soit carotte, poireau, céleri et tomate. Nettoyer et couper en morceaux. Dans une casserole avec l'huile d'olive, faire revenir les carcasses de homard avec ces légumes pendant 4 à 5 minutes. Flamber avec le brandy. Ajouter la crème, une pincée d'anis, une pincée de poivre de Cayenne et saler. Laisser cuire 15 minutes. Couler dans une passoire fine et rectifier l'assaisonnement. Garder au chaud.

Nettoyer, équeuter et cuire les épinards dans une poêle anti-adhésive. Assaisonner.

Dresser l'assiette en disposant une lasagne dans le fond. Étendre les épinards puis le homard et recouvrir de la Duxelles de champignons et de l'autre lasagne. Verser la sauce autour. Parsemer de graines de pavot. Décorer avec l'aneth et une pince de homard.

Menu proposé :

Brochette d'escargots aux raisins, polenta, sauce d'été
Lasagne de homard au pavot
Fraises au poivre en tulipe, jus de mûres

Défaire les homards en enlevant la tête, les pattes et la queue.

Tronçonner la chair de la queue pour réaliser cette recette.

Ouvrir la queue pour en retirer la chair.

Le Vin

Le cardinal de nos eaux mérite un seigneur de la vigne. Lorsque les deux se rencontrent, c'est le paradis sur terre qui présage de la récompense des justes.
Tokay-Pinot Gris, Réserve, AC, Trimbach (*)
Meursault, Bouchard Père et Fils, AC (*)

Casser les pinces.

Le mille-feuilles : Le mot « mille-feuilles » est avant tout cette pâtisserie qui, comme son nom l'indique, se fait en superposant des couches de feuilletage entre lesquelles on y met une crème, souvent pâtissière et aromatisée.

Le mot « mille-feuilles » est aujourd'hui utilisé pour tout plat ayant ces couches de feuilletage et pouvant être farci avec du poisson ou tout autre aliment.

Le flétan : C'est le plus grand des poissons plats ; il peut atteindre 2,50 m. On le confond souvent au turbot qui a une chair plus savoureuse. Néanmoins, au niveau qualité prix, il n'a guère de concurrence.

Mille-feuilles de f

à la brunoise de légu

sauce au safran

Le safran : Saviez-vous que pour obtenir 500 g (1 lb 2 oz) de safran il ne faut pas moins de 60 000 fleurs de crocus dont les trois stigmates sont cueillis à la main. Voilà pourquoi le safran est l'épice la plus chère au monde. D'une saveur piquante, d'un beau jaune orange, le safran est indispensable pour des plats telle la paella et la bouillabaisse. On peut aussi l'utiliser pour tout plat de poisson ; mais la volaille ou le boeuf mijotés l'acceptent bien.

Le citron : Pour que le citron rende plus de jus, avant de le presser, on peut le rouler plusieurs fois sur un plan de travail en appuyant fortement. Si on a besoin de quelques gouttes de jus, inutile de sacrifier un citron entier ; il suffit de le piquer avec une fourchette et de le presser légèrement.

'tan
s,

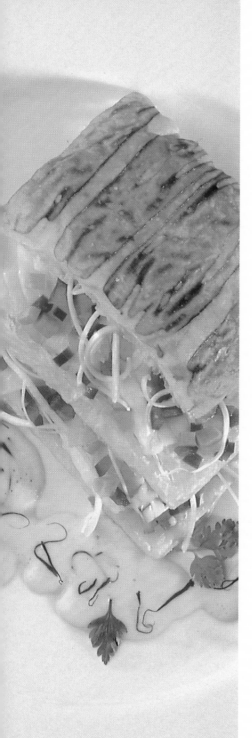

Pour quatre personnes :

- 600 g (1 lb 5 oz) de filets de flétan
- 300 g (10 oz) de pâte feuilletée
- 50 ml (3 c. à soupe) d'huile d'olive
- 1 poivron vert épépiné et coupé en brunoise
- 1 poivron rouge épépiné et coupé en brunoise
- 1 carotte pelée et coupée en brunoise
- 1 blanc de poireau coupé en julienne
- Sel et poivre

Pour la sauce au beurre blanc :
- 30 g (1 oz) d'échalote hachée
- 125 ml (¹/₂ tasse) de vin blanc
- 125 ml (¹/₂ tasse) de crème 35 %
- 60 g (2 oz) de beurre
- Jus d'un demi-citron
- Quelques pistils de safran

Pour la décoration :
- Quelques brins de cerfeuil

Dans une casserole, mélanger l'échalote hachée avec le vin blanc et réduire jusqu'à complète évaporation. Ajouter la crème 35 % et réduire de moitié. Puis, à l'aide d'un fouet, ajouter le beurre par petits morceaux. Assaisonner avec le jus de citron et le safran. Garder la sauce au chaud.

À l'aide d'un rouleau à pâte, étendre la pâte feuilletée très fine de façon à découper 12 rectangles de 10 cm x 6 cm (4 po. x 2.5 po.'). Déposer les rectangles de pâte feuilletée sur une plaque allant au four. À l'aide d'une fourchette, piquer la pâte. Cuire au four 10 minutes environ à 375 °F (185 °C) jusqu'à l'obtention d'une couleur dorée.

À l'aide d'un couteau à trancher, escaloper finement le filet de flétan en 8 tranches puis les étendre sur une plaque préalablement huilée. Saler et poivrer. Réserver.

Dans une poêle anti-adhésive avec un peu d'huile d'olive, cuire croquantes les brunoises de poivron vert, poivron rouge, carotte et julienne de poireau. Saler et poivrer.

À la dernière minute, cuire le flétan en plaçant la plaque sous le gril pendant environ 45 secondes.

Pour le service, placer en étage 1 rectangle de pâte feuilletée surmonté d'une tranche de flétan et de la brunoise de légumes. Répéter cette opération une fois et terminer avec la pâte feuilletée. Verser la sauce autour. Décorer de quelques brins de cerfeuil.

Menu proposé :

Salade folle de foies de volaille et fromage de chèvre, vinaigrette au pamplemousse

Mille-feuilles de flétan à la brunoise de légumes, sauce au safran

Gratin de litchis au sabayon de gingembre

À l'aide d'un couteau à trancher, escaloper finement le filet de flétan.

Les escalopes sont prêtes pour la cuisson.

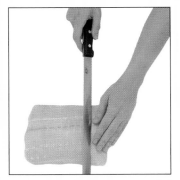

Poser le couteau en position oblique.

Le Vin

Un plat classique où le safran offrira des parfums exotiques. Que choisir entre Bordeaux et Bourgogne? À vous de décider. Voici deux vins de haute tenue...pourquoi pas les deux à la fois en comparaison? Un jeu des plus agréables entre amis connaisseurs.

Clos Floridène, AC, Graves, D. et F. Dubourdieu (*)
Bourgogne Chardonnay, AC, Chartron et Trébuchet

Trancher mince en utilisant l'autre main pour retenir la tranche.

Les pétoncles et les coquilles Saint-Jacques : Deux crustacés de la même famille ayant les mêmes caractéristiques. On les confond souvent et pour cause, ils se ressemblent tellement. La coquille Saint-Jacques est en général plus grosse que le pétoncle et sa coquille a un côté convexe et l'autre plat, alors que celle du pétoncle a les deux côtés convexes. On retrouve un corail chez les deux espèces, mais souvent ignoré par les consommateurs...quel dommage !

Le pétoncle possède un petit nerf sur le côté ; celui-ci durcit à la cuisson. Il est donc préférable de le retirer. Le pétoncle mérite une cuisson courte. S'il est trop cuit, il perdra alors de sa saveur et deviendra caoutchouteux.

Pétoncles à l'ora

et au poivre vert

Le poivron : Il s'agit d'un gros piment sans agressivité dont la chair séchée et réduite en poudre fournit, en Hongrie, le paprika. Originaire d'Amérique centrale, le poivron peut se trouver sous une multitude de couleurs, du rouge au vert, tantôt jaune, tantôt violet. Ils mettront du soleil dans vos préparations de salades, hors-d'oeuvres, légumes d'accompagnement pour les plats principaux.

Peler à vif : Consiste à retirer entièrement la peau ainsi que la partie blanche sous la peau de manière à obtenir uniquement la chair du fruit.

Pour quatre personnes :

- 20 noix de pétoncle
- 1 brocoli
- 2 pommes pelées, épépinées et coupées en quartiers
- $^1/_4$ de poivron vert en brunoise
- $^1/_4$ de poivron rouge en brunoise
- 60 ml (3 c. à soupe) de vermouth blanc (Noilly Prat)
- 2 oranges râpées et leur jus
- 30 g (1 oz) de beurre
- 20 grains de poivre vert
- 2 oranges pelées à vif et coupées en quartiers
- Sel et poivre

Pour la décoration :
- Quelques feuilles de laitue

Retirer le petit nerf sur le côté du pétoncle.

Cuire les fleurs de brocoli et les pommes dans l'eau bouillante salée. Égoutter. À l'aide d'un mélangeur, faire une purée très fine. Saler et poivrer. Réserver au chaud.

Faire sauter la brunoise de poivrons dans une poêle anti-adhésive 1 à 2 minutes. Réserver au chaud.

Dans une poêle anti-adhésive, avec un tout petit morceau de beurre, cuire les pétoncles sous un feu vif 1 à 2 minutes de chaque côté, dépendant de la grosseur. Les pétoncles devront avoir une belle couleur dorée. Réserver au chaud.

Dans la même poêle, ajouter le vermouth et laisser réduire 1 à 2 minutes. Ajouter ensuite le jus et le râpé des oranges et laisser réduire de moitié. Monter au beurre à l'aide d'un fouet, c'est-à-dire ajouter le beurre par petites quantités tout en remuant avec le fouet pour obtenir un jus lié et onctueux. Ajouter le poivre vert et les quartiers d'orange pour les réchauffer.

Verser la sauce dans l'assiette. Disposer élégamment les pétoncles avec la brunoise de poivrons dessus, ainsi que la purée de brocoli et pommes formée en quenelles et les quartiers d'orange. Décorer avec quelques feuilles de laitue.

Menu proposé :

Aiguillettes de canard fumé et frais, ratatouille tiède

Pétoncles à l'orange et au poivre vert

Crème à l'estragon, sauce au safran

Utiliser de beaux pétoncles frais.

...1 à 2 minutes de chaque côté, dépendant de la grosseur.

Retirer le nerf sur le côté du pétoncle.

Cuire les pétoncles dans une poêle anti-adhésive avec un peu de beurre...

Le Vin

Une jolie assiette de pétoncles est toujours appréciée. Ce mollusque à la saveur discrète et iodée plaît bien, surtout s'il est arrosé d'un vin vigoureux, aux parfums ronds et soutenus.
Chardonnay, Beringer, Napa Valley (Californie) (*)
Numéro 1, Dourthe, AC, Bordeaux

Le scampi : Pour décortiquer le scampi, couper la carapace sur le dos avec un ciseau, écarter la carapace et en retirer la chair. Enlever ensuite la veine dorsale. Il est important de ne pas trop cuire les scampi. Dans cette recette, on les saisit sur un feu très fort un court instant pour leur donner une coloration et on termine la cuisson au four pendant quelques minutes seulement. Les scampi trop cuits perdront leur saveur et leur texture deviendra caoutchouteuse.

Scampi en habit

au Beaumes-de-Ve

L'huile d'olive : Selon l'étymologie, le mot « huile » vient du nom de l'olive. Huile par excellence aussi bien pour les vinaigrettes que pour les cuissons.

On reconnaîtra plusieurs sortes d'huile d'olive. Les catégories dépendent surtout du degré d'acidité. L'huile d'olive vierge ou naturelle, non raffinée, provient de la pression à froid d'olives fraîches. Sa saveur est fruitée, sa coloration est verdâtre et on l'utilise principalement crue dans les assaisonnements de salade ou les entrées froides.

L'huile d'olive pure, provenant de la pression à chaud, est de couleur jaune et elle peut rancir plus facilement. Utilisée dans les cuissons, elle rehaussera vos mets d'un goût délicat et parfumé.

L'air, la chaleur et la lumière risquent de faire rancir l'huile d'olive. La garder dans son contenant de verre foncé ou de métal. Si l'huile est gardée au réfrigérateur, elle peut figer. Elle n'est pas pour autant impropre à la consommation et elle retrouvera sa limpidité à la température ambiante.

On retrouve aussi sur le marché de nombreuses huiles d'olive parfumées soit aux herbes, aux épices, avec du citron ou de la truffe. On les utilise comme les huiles d'olive pures. Le goût personnel guide le consommateur sur le type d'huile à utiliser, et ce, en fonction du plat qu'il prépare.

Le bassin méditerranéen en est le principal producteur ; citons l'Italie, l'Espagne, la Grèce et la France.

ert

e

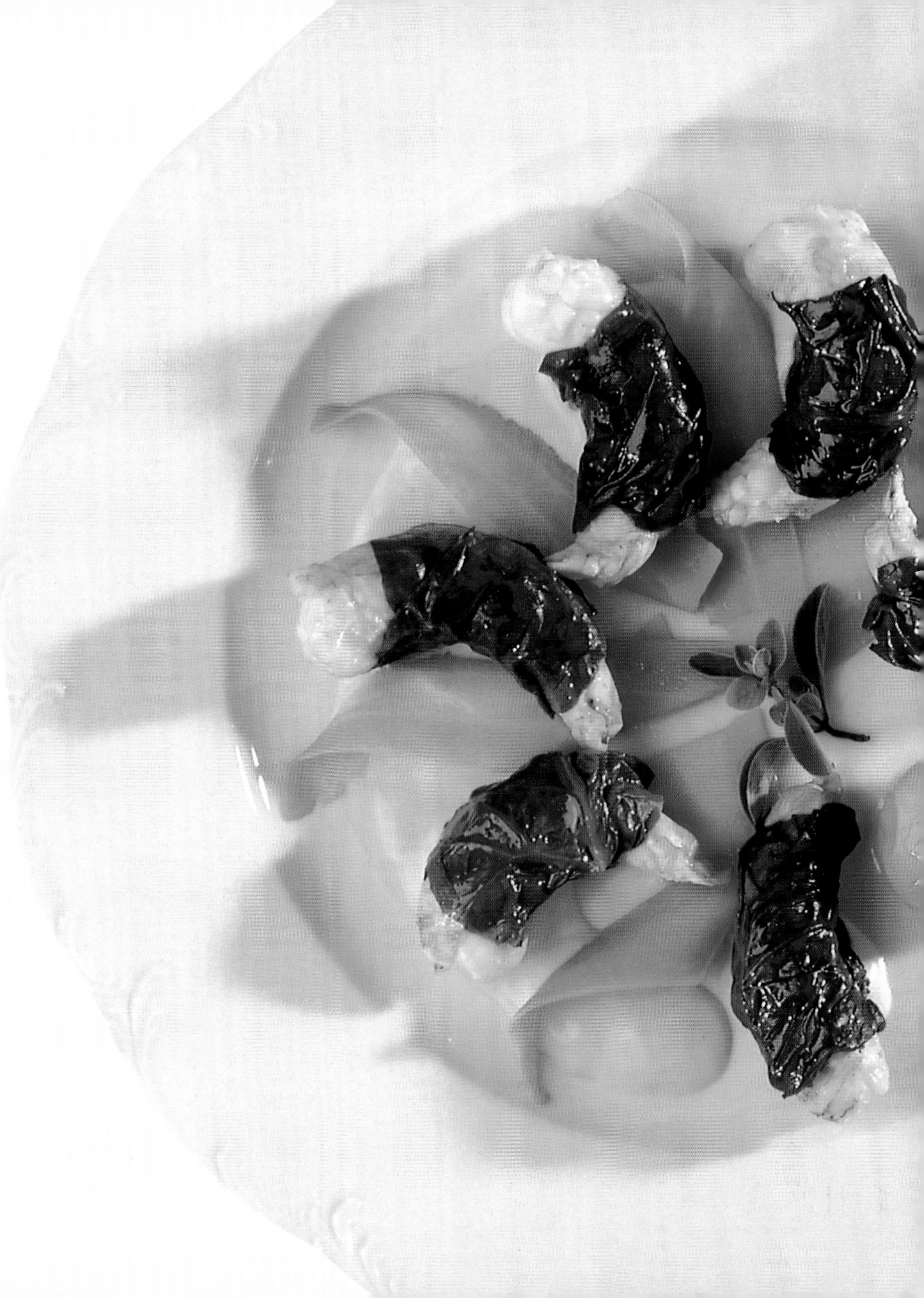

Pour quatre personnes :

- 24 scampi
- 30 g (1 oz) de beurre
- Sel et poivre
- 24 feuilles d'épinards équeutées, lavées et asséchées

Pour la sauce :
- Carcasses de scampi
- 30 ml (2 c. à soupe) d'huile d'olive
- 1 petite carotte hachée
- 1 petit oignon haché
- 1 gousse d'ail hachée
- 250 ml (1 tasse) de Beaumes-de-Venise
- 250 ml (1 tasse) de crème 35 %
- 1 branche de thym
- Sel, poivre et poivre de Cayenne

Pour la décoration :
- Lamelles de carottes
- 4 tomates jaunes
- Feuilles de marjolaine

Décortiquer les scampi et conserver les carcasses. Dans une poêle anti-adhésive très chaude avec une noix de beurre, faire saisir les scampi pendant 1 minute, jusqu'à une coloration dorée.
Saler et poivrer. Réserver.
Faire tomber (cuire rapidement) les épinards dans une poêle anti-adhésive.
Envelopper délicatement chaque scampi dans une feuille d'épinard. Les déposer sur une plaque légèrement beurrée allant au four. Réserver.
Faire la sauce en chauffant une casserole avec de l'huile. Faire revenir les carcasses de scampi à haute température pendant 2 à 3 minutes. Ajouter ensuite carotte, oignon et ail et cuire encore 2 à 3 minutes. Ajouter le Beaumes-de-Venise, la crème et la branche de thym.
Saler, poivrer et ajouter une pincée de poivre de Cayenne. Laisser réduire aux deux tiers.
Couler dans une passoire. Vérifier l'assaisonnement.
Cuire croquantes les carottes dans l'eau bouillante salée. Les trancher ensuite avec une mandoline (genre de couteau-robot qui aidera à faire des lamelles régulières et fines).
Cuire au four les tomates jaunes salées et poivrées pendant quelques minutes.
Terminer la cuisson des scampi dans un four à 400 °F (195 °C) pendant 4 à 5 minutes.
Verser la sauce dans le fond de l'assiette. Déposer harmonieusement les scampi, les lamelles de carottes, la tomate jaune et les feuilles de marjolaine.

Menu proposé :

Ravioli de ris de veau à l'orientale
Scampi en habit vert au Beaumes-de-Venise
Gratin de litchis au sabayon de gingembre

*Retirer le scampi de sa coquille
à l'aide de ciseaux.*

...enrouler les scampi.

*Dans une poêle anti-adhésive très chaude
avec une noix de beurre, faire saisir les
scampi pendant 1 minute.*

*Dans les épinards préalablement
cuits rapidement...*

Le Vin

*Serait-ce l'habit de l'académicien? Quoiqu'il en soit, voilà une
symphonie de couleurs et de parfums bien ravissante. Le
Beaumes-de-Venise, vin muté des Côtes du Rhône, peut
revenir dans le verre ou bien un vin plus sec.
Muscat de Beaumes-de-Venise, AC, vin doux renforcé
Orvieto classico, DOC, Abbocato, P. Antinori (Italie)*

La sole : La vraie sole est ce poisson plat d'un côté blanchâtre et d'un côté allant du brun foncé au gris clair, dépendant des fonds où elle a été pêchée. La sole est la meilleure variété des poissons plats. Elle se différencie de ses imitations telles la limande, la plie ou la sardine par la délicatesse de sa saveur, par sa chair blanche et ferme qui se détache facilement de l'arête, et par son prix. Ce poisson devrait toujours être acheté entier, d'ailleurs ses arêtes font un excellent fumet. Ne pas hésiter à demander à votre poissonnier de « lever les filets » ; cette opération peut sembler très délicate pour les profanes.

On ne dira jamais assez que le poisson doit être cuit à point. Trop cuit, il perd tout son goût. Il serait dommage de perdre temps et argent à acheter un bon poisson frais et d'en perdre toute sa saveur à la cuisson.

Tresse de sole et sau
au gingembre

Le gingembre : Frais, séché ou moulu. Préférez ce tubercule frais. Il est facile à trouver dans nos épiceries. Bien l'éplucher avant de le râper, de le hacher ou de le couper en julienne. Très épicé et fort, l'utiliser avec doigté afin d'éviter qu'il envahisse le goût des autres ingrédients de la recette. Le gingembre se marie aussi bien avec le sucré qu'avec le salé. Abondamment utilisé en Orient, on le retrouve dans plusieurs plats asiatiques.

L'échalote : Celle dont il est question dans mes recettes est bien sûr l'échalote grise ou française. En Amérique du Nord, on l'appelle parfois échalote sèche. Cette plante potagère serait une forme dérivée de l'oignon, cependant plus appréciée dans les sauces en raison de sa finesse. Elle se conserve mal, donne beaucoup de déchets et n'a pas le même rendement que l'oignon. Mais elle vaut vraiment le déplacement !

non

Pour quatre personnes :

- 2 soles de 500 à 600 g (1 lb 2 oz à 1 lb 5 oz) chacune
- 400 g (15 oz) de saumon
- 30 g (1 oz) d'échalote hachée
- 125 ml (¹/₂ tasse) de vin blanc
- 125 ml (¹/₂ tasse) de fumet de poisson (voir Recettes de base)
- 1 carotte
- 1 courgette

Pour la sauce :
- Fond de cuisson des tresses
- 45 ml (3 c. à soupe) de brandy
- 125 ml (¹/₂ tasse) de crème 35 %
- 30 g (1 oz) de gingembre frais pelé et coupé en julienne

Pour la décoration :
- Branches d'aneth

Lever les filets des soles si celles-ci sont entières. Détailler ensuite chaque filet en deux.

Détailler le saumon en 8 lanières.

Tresser ensemble un filet de sole coupé en deux avec une lanière de saumon. Former ainsi 8 tresses. Les disposer sur une plaque à rôtir avec l'échalote hachée, le vin blanc et le fumet de poisson. Couvrir d'un papier sulfurisé (ciré). Réserver.

À l'aide d'une petite cuillère parisienne, confectionner de petites boules de carotte et courgette et les cuire dans l'eau bouillante salée.

Cuire les tresses au four à 375 °F (185 °C) pendant 5 à 6 minutes. Récupérer le fond de cuisson et garder les tresses au chaud.

Réduire de moitié le fond de cuisson avec le brandy et la crème. Ajouter ensuite la julienne de gingembre. Laisser infuser quelques minutes.

Verser la sauce dans le fond de chaque assiette. Disposer les tresses sur la sauce. Ajouter harmonieusement les boules de carotte et courgette. Une branche d'aneth complétera la décoration.

Menu proposé :

Soupe de crabe à la vanille
Tresse de sole et saumon au gingembre
Crème à l'estragon, sauce au safran

Couper les filets de sole en deux.

Détailler le saumon en lanières.

Intercaler deux lanières de filet de sole avec une lanière de saumon.

Tresser.

Le Vin

*Qu'il est agréable de regarder ce mariage de douces couleurs.
On espère une aussi plaisante union entre l'assiette et le vin.
Un vin du Sud, un Gaillac ou encore un beau et agréable
Chablis.
Château Lastours, AC, Gaillac de Faramond (*)
Chablis, 1er Cru, Côte de Léchet, AC, La Chablisienne (*)*

Le Wellington : Le général tout comme le boeuf sont très connus. Le deuxième en gastronomie reste un classique de nombreux menus. Le mot « Wellington » pour cette roulade de poisson a été utilisé seulement en relation avec la pâte feuilletée et la forme qui nous rappellent le filet de boeuf Wellington.

La pâte feuilletée : On peut confectionner soi-même la pâte feuilletée et on peut aussi s'en procurer chez son boulanger. Quoique je n'apprécie pas le « congelé », il reste néanmoins que certaines pâtes feuilletées congelées peuvent très bien faire l'affaire.

Wellington de po

Dans la présente recette, la pâte feuilletée ne doit pas se développer pendant la cuisson afin de devenir croustillante et friable. Il faut alors la piquer au préalable, c'est-à-dire faire une multitude de petits trous à l'aide d'une fourchette ; ceux-ci formeront autant de cheminées par lesquelles s'échappera la vapeur.

La sauce crème à l'échalote : Elle se veut une version du beurre blanc dont les gens du bord de Loire, Angevins et Nantais s'arrachent l'origine. « Le vrai beurre blanc » ne contient pas de crème ; cependant cette crème a l'avantage de tenir votre sauce une fois terminée, c'est-à-dire que votre sauce ne se séparera pas et ne deviendra pas un beurre fondu aux échalotes vinaigré.

La dorure : Elle a pour but de donner une belle couleur dorée à une pâte durant sa cuisson. Il est possible d'ajouter l'oeuf entier pour la dorure. Personnellement, je préfère le jaune uniquement auquel on ajoutera quelques gouttes d'eau pour la liquéfaction de l'oeuf. Une précaution si vous dorez une pâte feuilletée à plat. Évitez que le pinceau ne touche le bord tranché et que l'oeuf ne coule ; il souderait les feuillets de la pâte ensemble et le feuilletage lèverait moins ou irrégulièrement.

son

Pour quatre personnes :

- 450 g (1 lb) de saumon frais tranché en escalopes de 1 cm d'épaisseur
- 200 g (7 oz) d'épinards frais
- 1 rectangle de pâte feuilletée 20 cm x 30 cm (8 po x 12 po)
- 1 jaune d'oeuf pour la dorure

Pour la farce :
- 350 g (12 oz) de flétan (ou lotte, ou aiglefin)
- 1 blanc d'oeuf
- 125 ml ($^1/_2$ tasse) de crème 35 %
- Jus d'un demi-citron
- 15 g (1 c. à soupe) d'herbes fraîches hachées (cerfeuil, basilic)
- Sel et poivre

Pour la sauce crème à l'échalote :
- 60 g (2 oz) d'échalote hachée
- 80 ml ($^1/_3$ tasse) de vinaigre rouge
- 80 ml ($^1/_3$ tasse) de crème 35 %
- 120 g (4 oz) de beurre
- Sel et poivre

En accompagnement :
- Haricots verts cuits

Pour la décoration :
- Ciboulette hachée
- Brunoise de tomates

Dans un mélangeur, faire une farce bien lisse avec le flétan (ou le poisson blanc disponible) et le blanc d'oeuf. Ajouter ensuite la crème, le jus de citron et les herbes fraîches. Assaisonner. Réserver au réfrigérateur.

Laver et équeuter les épinards. Dans une poêle anti-adhésive, les faire sauter une trentaine de secondes.

Étendre la pâte feuilletée d'une épaisseur d'environ 1 cm en un rectangle de 20 cm (8 po) x 30 cm (12 po). Recouvrir d'épinards en laissant 3 cm ($1^1/_2$ po) libres sur les bords. Étaler la farce sur les épinards puis les escalopes de saumon. Étaler de nouveau la farce. Rouler le tout. Mélanger le jaune d'oeuf avec un peu d'eau et en badigeonner la surface à l'aide d'un pinceau. Cuire au four à 350 °F (175 °C) pendant 30 minutes environ.

Pendant la cuisson, faire la sauce en réduisant l'échalote hachée avec le vinaigre et laisser frémir jusqu'à complète évaporation du vinaigre. Ajouter la crème et réduire de moitié. À l'aide d'un fouet, ajouter graduellement le beurre. Vérifier l'assaisonnement.

Dans le fond de chaque assiette, verser la sauce. Trancher le Wellington et déposer deux belles tranches. Comme accompagnement, des haricots verts cuits à point seront excellents. Décorer avec la ciboulette hachée et la brunoise de tomates.

Menu proposé :

Brochette d'escargots aux raisins, polenta, sauce d'été
Wellington de poisson
Tatin aux poires

Étendre la farce sur la pâte
feuilletée recouverte d'épinards.

Rouler le tout.

Déposer les escalopes de saumon.

Étaler de nouveau la farce.

Le Vin

On connaissait le Wellington de viande. Pourquoi pas avec
du poisson? Cette préparation, légèrement relevée, demande
un vin qui tiendra l'assiette...un vin fin, bien aromatique
et d'une bonne longueur.
Domaine de Grange Grillard, AC Arbois, H. Maire (*)
Château Beauregard, AC Châteauneuf-du-Pape, blanc (*)

Le blanc de pintade : Pour cette recette, il est préférable d'utiliser les blancs de pintade. Cependant, vous pouvez utiliser les deux blancs et les deux cuisses qui, une fois désossés, pourront être farcis de la même façon.

La cardamome : Provient de l'Inde, du Sri-Lanka, du Mexique et du Guatemala. En capsules, en graines entières ou en graines moulues, la cardamome a ce goût particulièrement fort, citronné et parfumé. Elle rehausse aussi bien les plats salés que les plats sucrés. Cette épice est abondamment utilisée dans tout le Moyen-Orient. On s'en sert également pour parfumer les infusions. La pâtisserie, les pains exotiques, la salade de fruits, les poires pochées ou les pommes au four font un heureux mariage.

L'escargot : J'ai eu l'occasion de découvrir les escargots élevés dans la région de Charlevoix. Ils farciront parfaitement bien vos pintades.

Blanc de pintad
à la cardamome farci aux

Les escargots en conserve doivent être bien rincés sous l'eau courante, car ils sont très souvent conservés dans un liquide fort en herbes aromatiques et d'une saveur terreuse.

L'asperge : L'asperge verte arrive sur nos marchés avec le printemps. Dans l'antiquité, on lui attribuait des vertus aphrodisiaques. Elle prend de trois à quatre années après sa plantation dans des terroirs sablonneux pour être consommée. La même plante peut ensuite durer de dix à quinze ans et fournir plusieurs récoltes. Les choisir bien lisses. Si elles sont rudes, c'est qu'elles ne sont pas fraîchement cueillies. Pour les conserver deux à trois jours, les envelopper dans un linge humide puis les garder dans le tiroir à légumes du réfrigérateur. Si les asperges vertes ne sont pas très grosses, couper les bouts blanchâtres seulement, c'est-à-dire la partie dure. Ces morceaux peuvent être récupérés et utilisés pour une crème ou un velouté. Afin d'éviter que les asperges se brisent lors de la cuisson, les lier en bottes sans toutefois serrer.

Les chanterelles : On retrouve les chanterelles illustrées dans cette recette en grande quantité dans notre région. De nombreux autres champignons comestibles et d'une grande saveur poussent et sont négligés simplement à cause de notre ignorance. Il est vrai que ces curieux végétaux ont une assez mauvaise réputation. Il est vrai aussi qu'il faut se méfier de certains d'entre eux parce que, hélas, ils peuvent nous rendre très malades et même causer la mort.

Un cours de mycologie est sûrement le meilleur moyen pour en connaître plus. Apprendre à discerner un petit nombre des meilleures espèces parmi un grand nombre permet au moins, au début, de faire de bonnes récoltes de champignons comestibles. Car, vous avouerez que de botter un joli cèpe, un pleurote ou un coprin, quel dommage !

argots

Pour quatre personnes :

- 2 pintades d'environ 1 kg (2 lbs 2 oz) chacune
- 30 g (1 oz) de beurre
- 50 ml (3 c. à soupe) d'huile d'olive
- 5 g (1 c. à thé) de graines de cardamome
- 20 asperges vertes
- Quelques chanterelles
- Sel et poivre

Pour la farce :
- 16 escargots
- 1 tranche de mie de pain
- 1 oeuf
- 60 g (2 oz) de jambon
- Persil haché
- 1 gousse d'ail hachée
- Sel et poivre

Pour la sauce :
- Carcasses de pintade
- 15 g (¹/₂ oz) de beurre
- 30 ml (1 c. à soupe) d'huile
- ¹/₂ oignon haché
- 1 carotte en brunoise
- 1 bouquet garni

Désosser les poitrines de pintade et réserver les carcasses pour la sauce.

Pour la sauce, concasser les carcasses et les mettre dans une casserole avec un peu de beurre et d'huile. Faire colorer. Ajouter oignon et carotte et laisser colorer aussi. Ajouter le bouquet garni. Recouvrir avec de l'eau jusqu'à hauteur des os. Laisser cuire 45 minutes pour conserver 125 ml (¹/₂ tasse) de jus.

Préparer la farce en mélangeant la mie de pain avec l'oeuf. Puis ajouter le jambon haché au couteau, les escargots coupés en petits morceaux, le persil haché et la pointe d'ail. Saler et poivrer.

Couper les blancs de pintade dans le sens de la longueur. Assaisonner l'intérieur avec un peu de sel. Répartir la farce et refermer.

Dans un plat à cuisson, colorer les blancs de pintade avec un peu de beurre et d'huile pendant 2 à 3 minutes de chaque côté. Terminer la cuisson pendant environ 15 minutes dans un four à 375 °F (185 °C). Retirer les pintades et conserver au chaud.

Terminer la sauce en versant le jus de pintade dans le fond de la plaque de cuisson. Décoller les sucs, ajouter les graines de cardamome et laisser infuser 5 minutes.

Cuire les asperges vertes à l'eau bouillante salée. Les garder croquantes. Beurrer légèrement et assaisonner.

Sauter les chanterelles dans une poêle anti-adhésive.

Verser la sauce dans chaque assiette. Y déposer ensuite les tranches de pintade, les asperges et les chanterelles.

Menu proposé :

Gaspacho rafraîchi d'épinards, crevettes au beurre et têtes de violon, huile de noisette
Blanc de pintade à la cardamome farci aux escargots
Beignets aux fruits rouges, sorbet aux pêches, sauce épicée

Désosser la pintade en retirant d'abord les cuisses à l'aide d'un couteau à désosser.

La poitrine une fois désossée, l'aile peut être conservée ou retirée.

Entailler le dessus de la poitrine en suivant les os...

Le Vin

Blanc ou rouge dans le verre? Question existentielle! Vaut mieux un blanc à cause des escargots. Donc, à plat élégant, vin élégant. Un Côtes du Rhône raffiné ou un grand Bourgogne.
Crozes-Hermitage, AC, Michel Courtial (*)
Savigny-lès-Beaune, Le Champier, AC, P. André (*)

...jusqu'à la jointure de l'aile.

Le carré d'agneau : Sans contredit la partie de l'animal la plus recherchée. Votre boucher pourra retirer cette partie de viande qui se situe sur les côtes du carré et sous la couche de gras extérieure et qui ressemble à un filet. Avec un peu de dextérité, la technique est simple.

L'agneau du Québec est un choix excellent. Un bon gigot piqué à l'ail, mariné dans de bonnes herbes fraîches comme le thym, le romarin, et enrobé d'huile. La cuisson rosée et juteuse est la plus appropriée pour l'agneau. J'ajouterais des haricots blancs mijotés « à la vendéenne » et là...quel festin !

Filet d'agneau
sous croûte dorée

Dans la présente recette, il est préférable de saisir les filets d'agneau un peu plus longuement, car la cuisson au four avec la pâte filo est très rapide, dû à la coloration de la pâte. On peut cependant protéger cette dernière avec un papier d'aluminium afin d'éviter cette coloration.

Les épinards : C'est Louis XVIII qui raffolait de cette plante. Peut-être cherchait-il un supplément de fer, immortalisé par Popeye, le meilleur propagandiste de l'épinard. Étonnant d'ailleurs cette image de l'épinard, car les diététistes vous le diront, plusieurs aliments contiennent beaucoup plus de fer que l'épinard. Mais bon !...Qu'auraient fait nos mères pour nous faire avaler ces feuilles vertes ?

Les feuilles d'épinards sont excellentes crues. Pour les faire cuire, on doit tout simplement les laisser « tomber ». Cuits rapidement dans la poêle, les épinards seront meilleurs.

La pomme de terre bleue : Si Monsieur Parmentier voyait les pommes de terre à chair bleue des jardins des Éboulements et de l'Isle-aux-Coudres, peut-être n'en croirait-il pas ses yeux.

À côté de certaines grandes variétés de pommes de terre telles la Ratté, la Roseval ou la Rosa, cette pomme de terre à chair bleue, tirant sur le violet, peut sembler un peu « quétaine ». Disons qu'elle a au moins la qualité d'être originale et que, transformée en chips, elle reste sympathique. De très vieille souche, son origine est nébuleuse, l'Amérique du Sud, semble-t-il. Nous la trouvons aujourd'hui sur nos marchés québécois.

Pour quatre personnes :

- 2 carrés d'agneau d'environ 700 g (1¹/₂ lb) chacun
- Jus d'agneau (voir Recettes de base)
- 45 ml (2 c. à soupe) d'huile d'olive
- 5 g (1 c. à thé) de thym frais haché
- 200 g (7 oz) d'épinards en branches
- 30 g (1 oz) d'échalote hachée
- 1 gousse d'ail hachée
- 2 feuilles de pâte filo
- 30 g (1 oz) de beurre
- 4 tranches fines de prosciutto
- Sel et poivre

En accompagnement :
- 240 g (8 oz) de pommes de terre bleues

Pour la décoration :
- 4 tomates-cerises
- 4 branches de thym

Désosser, dégraisser et dénerver les carrés d'agneau. Couper les os en morceaux et faire le jus d'agneau.

Dans une poêle, saisir dans l'huile d'olive les carrés 2 à 3 minutes de manière à obtenir une viande colorée. Saler, poivrer et parsemer de thym haché. Réserver.

Équeuter, laver et sécher les épinards. Dans une poêle avec un peu de beurre, faire revenir l'échalote et l'ail puis ajouter les épinards. Laisser « tomber » pendant 1 à 2 minutes. Saler et poivrer. Réserver.

Étendre la pâte filo ; la plier en deux et badigeonner de beurre. Enrouler le filet d'agneau dans le prosciutto. Le placer ensuite sur la pâte filo et recouvrir le tout de feuilles d'épinards. Enrouler le tout et placer les 2 carrés d'agneau sur une plaque et cuire au four à 350 °F (175 °C) environ 10 minutes.

Éplucher et tailler en fines tranches les pommes de terre bleues. Les frire dans une huile très chaude. Égoutter sur un papier absorbant. Saler.

Huiler légèrement les tomates-cerises, les saler et poivrer. Les passer dans un four très chaud de 2 à 3 minutes.

Dans le fond de chaque assiette, verser un peu de jus d'agneau. Trancher les filets d'agneau et les déposer harmonieusement dans l'assiette avec les pommes de terre et les tomates-cerises. Décorer de branches de thym.

Menu proposé :

Ravioli de ris de veau à l'orientale
Filet d'agneau sous croûte dorée
Crème à l'estragon, sauce au safran

Étendre la pâte filo; la plier en deux et badigeonner de beurre.

Enrouler le filet d'agneau dans le prosciutto.

Le placer sur la pâte filo et recouvrir le tout de feuilles d'épinards.

Enrouler le tout.

Le Vin

Une viande fine et savoureuse qui demande un vin aussi présent que raffiné, pour une alliance qui devrait durer. On recherche alors des vins de vignobles méconnus où on produit des vins hauts en couleurs et en parfums.
Dom. Chante-Alouette-Cormeil, AC Saint-Émilion, grand cru (*)
Cahors, Côtes d'Olt, AC

Le filet de boeuf : Ou tournedos. Un peu d'histoire. Plusieurs étymologies nous sont proposées, dont deux sont particulièrement intéressantes : 1) En raison de sa texture et de sa tendreté, on expose ce morceau de viande au feu, « On lui tourne le dos » et la cuisson est assurée. 2) Un maître d'hôtel, convaincu du bien- fondé de la mauvaise réputation de ces « filets mignons », le servait aux clients qui en avaient fait la demande, en prenant soin de cacher discrètement la pièce de boeuf en tournant le dos aux autres clients.

Le sirop d'érable : Le sucré du sirop d'érable et le salé de la moutarde de Meaux sont une combinaison intéressante pouvant aussi s'appliquer pour le veau ou le porc.

Filet de boeuf

à la saveur de sirop d'érable et moutarde de Meaux, fenouil braisé et pommette

La moutarde : Provient de différentes graines moulues auxquelles on ajoute moût de raisin, vin, vinaigre, cidre ou eau. Le tout ensuite réduit en pâte fine. Pour la moutarde de Meaux préparée avec des graines brunes grossièrement concassées, on la reconnaît surtout par ses pots en grès dans lesquels elles sont préparées. Cette dernière ressemble beaucoup aux anciennes moutardes anglaises, plus douces, qui sont aujourd'hui très appréciées des consommateurs.

Le fenouil : S'appelait aussi « queue de pourceau ». On connaît bien la version sauvage appelée aneth. Originaire d'Italie, nous en consommons le bulbe très charnu. On le prépare comme le céleri, cru ou cuit, et certains jardiniers sont arrivés à nous produire des versions « mini » utilisées dans cette recette.

Les atocas : Airelles ou canneberges. L'atoca est l'appellation canadienne pour ces petits fruits rougeâtres acidulés qui se transforment très bien en confiture ou en sirop.

Pour quatre personnes :

- 4 filets de boeuf de 150 g (5 oz) chacun
- 8 mini-fenouils braisés
- 125 ml (¹/₂ tasse) de fond de veau (voir Recettes de base)
- 4 pommettes
- 1 pincée de sucre
- 30 ml (2 c. à soupe) d'huile d'olive
- 15 g (¹/₂ oz) de beurre
- 30 g (1 oz) d'échalote hachée
- 250 ml (1 tasse) de fond de veau
- 45 ml (3 c. à soupe) de sirop d'érable
- 10 g (6 c. à soupe) de moutarde de Meaux
- 60 g (2 oz) d'atocas
- Sel et poivre

Pour la décoration :

- Brins de romarin
- Feuilles de chêne
- Sucre d'érable

Blanchir les mini-fenouils en les plongeant dans l'eau bouillante de 2 à 3 minutes. Les égoutter. Les braiser en les déposant dans un petit plat et ajouter 125 ml (¹/₂ tasse) de fond de veau. Cuire au four à 350 °F (175 °C) environ 15 minutes pour obtenir une cuisson à point. À l'aide d'un couteau, trancher légèrement le haut des pommettes. Parsemer une pincée de sucre et cuire au four à 350 °F (175 °C) de 7 à 8 minutes.

Cuire les filets de boeuf dans une poêle avec l'huile d'olive et le beurre. Les garder au chaud. Dans la même poêle, ajouter l'échalote, le fond de veau, le sirop d'érable et la moutarde de Meaux. Ajouter les atocas et cuire 5 minutes. Retirer les atocas et réduire la sauce de moitié. Saler et poivrer. Vérifier l'assaisonnement.

Disposer harmonieusement la pommette et les fenouils braisés dans l'assiette. Verser la sauce et déposer le filet de boeuf. Ajouter les atocas, un brin de romarin et quelques feuilles de chêne. Parsemer du sucre d'érable autour de l'assiette.

Menu proposé :

Aiguillettes de canard fumé et frais, ratatouille tiède
Filet de boeuf à la saveur de sirop d'érable et moutarde de Meaux,
fenouil braisé et pommette
Bonbons croustillants aux framboises, sauce au Grand Marnier

Éplucher les échalotes.

Et de nouveau verticalement.

Trancher finement l'échalote verticalement.

Puis trancher horizontalement.

Le Vin

Qu'est-ce qui marque le plus: la vigueur du boeuf ou la douceur du sirop? Allons pour un vin qui tiendra et soutiendra. Le Zinfandel, seul cépage typiquement américain, sera une découverte. Ou bien alors, une valeur sûre, un exceptionnel Châteauneuf-du-Pape.
Zinfandel, Parducci (Californie) (*)
Dom. du Vieux Télégraphe, AC Châteauneuf-du-Pape Brunier (*)

Souvenez-vous qu'une mauvaise nourriture n'est pas seulement une perte d'argent, mais aussi mauvaise pour la santé, sujette à la mauvaise humeur, et vous risquez de mourir de faim.

Le médaillon de veau : Petit « tournedos » d'environ 75 g (2¹/₂ oz), généralement dans le filet du veau. Moins dispendieux mais tout aussi savoureux, sinon plus. On peut faire de bons médaillons dans une partie bien précise de la cuisse de veau appelée « noix ».

L'aubergine : Originaire du Sud-Est asiatique et de l'Inde, elle est un peu la cousine de la tomate en ce sens qu'on l'a longtemps cultivée pour son aspect décoratif. Sa couleur favorite est le violet ; il en existe aussi des blanches. Les choisir jeunes. Elles sont plus douces et ont meilleur goût, avec une pelure ferme et lustrée.

Légume souvent délaissé, l'aubergine est indispensable dans une ratatouille. Récupérer la pulpe d'une aubergine cuite au four ou grillée et la mélanger avec 60 g (2 c. à soupe) de beurre de sésame dilué avec 30 ml (2 c. à soupe) d'eau, le jus d'un demi-citron, une gousse d'ail bien écrasée, un peu d'huile d'olive et on obtient une merveilleuse trempette appelée au Liban « Baba Ghannouge ».

Médaillon de vec

au jus de carottes, tarte à l'aubergine

Le jus de carottes : Généralement consommé nature pour son apport considérable en carotène. Il s'est avéré très intéressant d'incorporer le jus de carottes à une sauce pour des crustacés comme les scampi, pétoncles et homards. L'essai avec le veau l'a été tout autant.

Pour quatre personnes :

- 8 médaillons de veau de 75 g ($2^1/_2$ oz) chacun
- Huile d'olive

Tarte à l'aubergine :
- 4 aubergines
- 125 ml ($^1/_2$ tasse) d'huile d'olive
- 1 gousse d'ail hachée
- 30 g (1 oz) d'échalote hachée
- 3 tomates pelées, épépinées et coupées en dés
- 15 g (1 c. à soupe) de persil haché
- 15 g (1 c. à soupe) de basilic haché
- Sel et poivre

Pour la sauce :
- 250 ml (1 tasse) de jus de carottes
- 125 ml ($^1/_2$ tasse) de fond de veau (voir Recettes de base)
- 30 g (1 oz) de beurre

Pour la décoration :
- Feuilles de coriandre
- Julienne de carottes

Confectionner les tartes en coupant 2 aubergines en deux. Verser de l'huile d'olive sur les moitiés et cuire au four à 350 °F (175 °C) jusqu'à ce que la chair soit tendue. Sortir du four. Retirer la chair à l'aide d'une cuillère et la passer au mélangeur de manière à obtenir une purée. Réserver.

Tailler les 2 autres aubergines en rondelles et les faire sauter dans une poêle avec de l'huile d'olive jusqu'à l'obtention d'une couleur brune des deux côtés. Réserver.

Dans la même poêle, faire revenir l'ail et l'échalote de 1 à 2 minutes. Ajouter les tomates en dés. Laisser mijoter jusqu'à évaporation du jus de cuisson. Ajouter la purée d'aubergine, le persil et le basilic et mélanger. Vérifier l'assaisonnement.

Dans le fond de 4 moules ronds de 7 à 10 cm (3 à 4 po), étendre les tranches d'aubergines sautées. Remplir avec la farce à 1 cm à 1.5 cm ($^1/_3$ à $^1/_2$ po) d'épaisseur. Cuire au four à 300 °F (140 °C) environ 15 minutes. Démouler.

Faire la sauce en réduisant le jus de carottes de moitié. Passer à l'étamine fine. Ajouter le fond de veau. Ajouter graduellement le beurre sur feu doux.

Dans une poêle avec un peu d'huile, faire sauter les médaillons de veau à point. Assaisonner. Placer la tarte à l'aubergine dans le fond de l'assiette. Y déposer le médaillon de veau sur le dessus. Verser la sauce tout autour. Décorer avec la coriandre et la julienne de carottes.

Menu proposé :

Huîtres au caviar de saumon et brouillade d'oeufs au saumon fumé
Médaillon de veau au jus de carottes, tarte à l'aubergine
Fraises au poivre en tulipe, jus de mûres

Dans une poêle avec de l'huile d'olive, faire sauter les aubergines jusqu'à l'obtention d'une couleur brune des deux côtés.

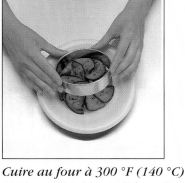

Cuire au four à 300 °F (140 °C) environ 15 minutes. Démouler.

Étendre les tranches d'aubergines sautées dans le fond des moules.

Remplir avec la farce.

Le Vin

Une viande délicate et goûteuse à souhait. On l'accompagnera d'un vin souple ayant un certain tonus, d'une belle couleur rubis et offrant des saveurs nettes. Ce peut être un noble Bordeaux ou ce se superbe Merlot de Californie, fleurant bon le soleil. Pourquoi ne pas servir les deux en comparaison.
Château La Garde, AC, Pessac Léognan
Merlot Frei Ranch Vineyard, Gallo (Californie)

Le râble : Partie dorsale du lapin entre les pattes avant et arrière. Il est conseillé de ne pas trop cuire les râbles, car ils deviendraient secs et filandreux et beaucoup moins savoureux. Ils doivent rester juteux, moelleux, souples et bien blancs. Un vieux truc pour garder le lapin moelleux est de laisser tremper sa chair dans le lait pendant environ 24 heures.

Le poireau : On l'appelait « porreau » jusqu'au XIXe siècle. On dit de lui qu'il est « l'asperge des pauvres ». Pourtant, en pleine saison, un poireau vinaigrette est loin de faire honte à quiconque !

Râble de lapin
au miel et au poireau

Il nous vient du Moyen-Orient. Néron s'en gavait pour apparemment s'éclaircir la voix avant ses longs discours. Quant aux Gallois, le poireau est leur légume national.

De valeur nutritive faible, il est cependant riche en vitamine C et son bouillon est diurétique. Dans la soupe, comme légume d'accompagnement ou dans le pot-au-feu, le poireau est le légume « à tout faire ».

Une bonne façon de laver le poireau est de le fendre sur le tiers de sa longueur, côté vert, puis de recommencer pour former une croix. Le poireau ouvert comme un bouquet pourra alors être nettoyé sous l'eau courante et débarrassé de la terre.

Le bouquet garni : Mélange d'herbes, généralement de brins de persil, une petite branche de thym et une autre de laurier. On le ficelle habituellement autour d'une branche de céleri et/ou d'une partie verte de poireau. Faites-le d'une grosseur adéquate. Trop petit, il ne dégagera aucune saveur. À l'inverse, trop gros, son parfum risque d'étouffer le reste des aliments ou des sauces.

Pour quatre personnes :

- Râble de 2 lapins
- 30 g (1 oz) de beurre
- 50 ml (3 c. à soupe) d'huile d'olive
- 50 g (1²/₃ oz) d'échalote tranchée
- 15 ml (1 c. à soupe) de miel
- Thym
- Sel et poivre
- Jus de ¹/₄ de citron
- 100 g (3¹/₃ oz) de poireau
- Épinards sautés (facultatif)

Pour le jus :

- Carcasse des lapins
- 15 g (¹/₂ oz) de beurre
- 50 ml (3 c. à soupe) d'huile
- 1 petite carotte coupée grossièrement
- 1 petit oignon coupé grossièrement
- 1 petit bouquet garni
- Eau

Pour la décoration :

- Thym frais

Préparer les râbles. Les désosser et les ficeler.

Préparer le jus de lapin en faisant revenir les os de désossage dans une casserole avec un peu de beurre et d'huile. Ajouter la carotte et l'oignon. Faire revenir jusqu'à une bonne coloration. Ajouter le bouquet garni. Recouvrir d'eau jusqu'à hauteur des os. Laisser cuire pendant environ 30 minutes de façon à conserver 300 ml (1¹/₃ tasse) de jus. Passer au chinois. Réserver.

Faire colorer les râbles dans une casserole avec un peu de beurre et d'huile.

Dans un plat de cuisson, mettre l'échalote tranchée et y déposer les râbles colorés. Badigeonner de miel et ajouter quelques brins de thym, saler et poivrer. Cuire à 375 °F (185 °C) de 15 à 20 minutes.

Retirer les râbles. Dans le plat de cuisson, verser le jus de lapin puis chauffer afin de décoller les sucs. Faire réduire pour obtenir environ 125 ml (¹/₂ tasse) de sauce. Ajouter le jus de citron et vérifier l'assaisonnement. Passer au chinois.

Découper le poireau en julienne et le faire revenir dans une poêle anti-adhésive de 1 à 2 minutes.

Faire revenir les épinards dans une poêle anti-adhésive pendant environ 1 minute.

Déposer les épinards dans le fond de chaque assiette. Couper les râbles et les déposer sur les épinards. Ajouter la julienne de poireau et verser le jus. Décorer avec le thym frais.

Menu proposé :

Foie gras chaud, pommes sautées, saveur de porto
Râble de lapin au miel et au poireau
Mille-feuilles au chocolat et physalis au sirop

Faire colorer les râbles dans une casserole avec un peu de beurre et d'huile.

Décorer avec le thym frais.

Après cuisson, dresser l'assiette en déposant les épinards.

Le Vin

Pourquoi ne mange-t-on pas plus souvent du lapin? C'est une viande fine et exquise. Pour une pareille assiette, un vin très spécial du sud-ouest, vin blanc des Hautes-Pyrénées, ou son frère en rouge de la même région, qui vous feront découvrir toute la délicatesse de la chair, de même que les saveurs recherchées du miel et du poireau.
Pacherenc du Vic Bilh, Bouscasse, AC (*)
Bouscasse, AC Madiran (*)
Si on préfère un vin plus connu, alors un cru de Beaujolais:
Château des Tours, AC Brouilly

Couper les râbles et les déposer sur les épinards. Ajouter la julienne de poireau et verser le jus.

La selle de chevreuil : Partie dorsale qui s'étend depuis les dernières côtes jusqu'aux deux gigues (ou cuisses de chevreuil).

Marrons ou châtaignes ? Il existe de nombreuses variétés de châtaignes améliorées par la culture. Sous le nom de « marron », on désigne les espèces dont le fruit ne contient qu'une seule graine. Le marron est donc le fruit du châtaignier. On le consomme à l'état naturel, bouilli ou grillé. Avant de procéder à la cuisson du marron, fendre peu profondément son écorce sur le côté bombé afin d'éviter d'entamer la chair. Le marron est populaire principalement durant la période des Fêtes avec la dinde. On peut également le cuisiner avec plusieurs viandes et, bien sûr, en pâtisserie.

Selle de chevreuil

en robe de pommes d'
et graines de marron

La crépine de porc : Membrane de la panse de l'animal également appelée « coiffe ». Pour l'assouplir et éviter qu'elle ne déchire, la faire tremper dans l'eau tiède tout en l'étirant. Prudence ! L'eau trop chaude fera fondre les masses graisseuses.

Le pâtisson : Espèce de courge, aussi appelé « artichaut d'Espagne » ou « bonnet de prêtre ». En forme de soucoupe volante à bord dentelé, on le retrouve sur nos marchés sous différentes couleurs, blanc, jaune, vert ou rayé. Ils sont soit gros, soit miniatures comme ceux utilisés dans la présente recette.

rre

Pour quatre personnes :

- 1,4 kg (3 lbs) de selle de chevreuil
- 3 grosses pommes de terre
- 1 crépine de porc
- 60 g (2 oz) de marrons entiers frais ou en conserve
- Sel et poivre

Pour la sauce :
- Os de la selle de chevreuil
- 45 ml (3 c. à soupe) d'huile d'olive
- 1 carotte coupée en dés
- 1 poireau coupé en dés
- 1 oignon haché
- Quelques grains de genièvre
- 1 branche de thym
- 1 feuille de laurier
- 15 g (½ oz) de farine
- 175 ml (¾ tasse) de vin rouge
- 175 ml (¾ tasse) de martini rouge
- Sel et poivre

En accompagnement :
- 12 mini-pâtissons jaunes et verts
- Courgettes à fleurs
- 8 marrons entiers

Désosser et parer la selle de chevreuil. Dans une poêle avec un peu d'huile, faire colorer la selle à feu vif de 2 à 3 minutes. Réserver.

Couper les os de la selle en morceaux. Dans une casserole, faire chauffer l'huile d'olive et faire revenir les légumes et les os. Ajouter quelques grains de genièvre, le thym et le laurier. Ajouter ensuite la farine et verser le vin et le martini. Saler et poivrer. Cuire doucement sur le feu pendant 30 minutes. Passer dans un chinois et terminer la réduction jusqu'à l'obtention d'une demi-tasse de sauce.

Peler les pommes de terre et les trancher finement. Étendre la crépine de porc sur la table de travail et étaler les tranches de pommes de terre comme des écailles. Émietter les marrons sur la surface des pommes de terre. Saler et poivrer. Déposer ensuite la selle de chevreuil au milieu et enrouler le tout. Cuire au four à 375 °F (185 °C) environ 20 minutes. Les pommes de terre prendront alors une jolie couleur brune et la selle de chevreuil restera saignante.

Cuire à la vapeur, dans une marguerite, les pâtissons et les courgettes. Saler et poivrer. Réchauffer les marrons pour la garniture.

Trancher la selle de chevreuil. Déposer harmonieusement pâtissons, courgettes à fleurs et marrons. Verser la sauce autour.

Menu proposé :

Brochette d'escargots aux raisins, polenta, sauce d'été
Selle de chevreuil en robe de pommes de terre et graines de marron
Tarte chaude aux pommes et aux figues, gorgonzola et larme de porto

Étendre la crépine de porc et étaler
les tranches de pommes de terre.

Enrouler le tout.

Émietter les marrons.
Saler et poivrer.

Le Vin

La venaison demande un vin bien structuré, plus présent en
bouche, avec des saveurs nettes et quelque peu relevées.
Les Chianti surprennent toujours et plaisent, de même qu'un
des plus grands crus du Beaujolais.
Dom. des Cros, AC Saint-Amour, L. Jadot (*)
Chianti Classico, DOC, Poggio Rosso, San Felice (Italie) (*)

Déposer la selle de chevreuil
au milieu.

Le suprême de poulet : La cuisson du suprême de poulet doit être menée très délicatement. La coloration des graines de sésame s'effectue très rapidement.

Le mot « suprême » dans ce cas-ci désigne la poitrine ou le blanc du poulet. Enlever la peau des suprêmes permet de réduire la consommation en matières grasses. Dans cette recette, on utilise seulement les suprêmes, alors on ne peut parler de « brider ». Si on a une volaille à rôtir, il est conseillé de brider, c'est-à-dire de fixer les ailerons et les cuisses de la volaille pour permettre une régularité dans la cuisson et une meilleure présentation. Une ficelle sera passée au-dessus des pattes pour revenir à la hauteur des poitrines et des ailerons pour finalement être nouée.

Suprême de poulet
au sésame et poivron

Les graines de sésame : L'origine des graines de sésame est peu connue ; on dit qu'elles proviennent d'Afrique, d'Inde ou de Chine. Ce qu'on sait, c'est que bien petites elles sont très riches en huile spécialement ; elles en contiennent 50 %. Leur goût de noisette peut s'associer aussi bien aux plats salés qu'aux plats sucrés. À essayer dans les marinades de soja.

Les poivrons : Il y a plusieurs façons de peler les poivrons. Les passer dans l'eau bouillante est une solution. On peut aussi les passer sous une flamme ou sous le gril en les retournant souvent. Les plonger dans l'huile très chaude. Ce sont différentes façons de retirer la pellicule qui boursouflera à l'action de la chaleur. Il ne restera qu'à peler le poivron à l'aide d'un linge humide et d'un couteau.

ux

Pour quatre personnes :

- 4 poitrines de poulet
- 20 g ($^2/_3$ oz) de beurre
- 60 g (2 oz) de graines de sésame
- 15 ml (1 c. à soupe) d'huile d'olive
- Sel et poivre

Pour la sauce :
- 2 poivrons rouges
- 125 ml ($^1/_2$ tasse) de crème 35 %
- Sel et poivre

En accompagnement :
- 1 poivron vert
- 1 poivron jaune
- 1 poivron rouge
- 8 oignons verts
- Riz sauvage (facultatif)

Pour la décoration :
- Graines de sésame

Pour faire la sauce, plonger les 2 poivrons rouges dans l'eau bouillante pendant 1 à 2 minutes. Les peler, les couper en deux et retirer les graines ainsi que les parties blanches. Couper ensuite en morceaux.

Dans une casserole, faire bouillir ensemble les morceaux de poivron rouge avec la crème 35 % pendant 4 à 5 minutes. Passer au mélangeur de manière à avoir une sauce lisse. Saler et poivrer. Vérifier l'assaisonnement. Garder au chaud.

Retirer la peau du poulet. Faire fondre le beurre et en badigeonner le poulet. Plaquer ensuite les graines de sésame fortement afin de les faire adhérer au poulet.

Dans une casserole avec de l'huile d'olive, poêler le poulet sur un feu très doux pendant 3 à 4 minutes. Retourner le suprême et terminer la cuisson dans un four à 350 °F (175 °C) pendant environ 15 minutes.

Couper en deux, épépiner et couper en julienne les poivrons vert, jaune et rouge. Dans une poêle anti-adhésive avec un peu de beurre, sauter cette julienne de poivrons pendant 4 à 5 minutes.

Cuire dans l'eau bouillante salée les oignons verts.

Dans le fond de chaque assiette, verser la sauce de poivron rouge et y déposer le suprême de poulet. Déposer harmonieusement deux oignons verts et la julienne de poivron. Décorer de quelques graines de sésame.

Menu proposé :

Tartare de pétoncles en robe de truite
Suprême de poulet au sésame et poivron doux
Tatin aux poires

Pour faire la sauce, plonger les poivrons dans l'eau bouillante pendant 1 à 2 minutes.

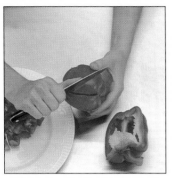

Les peler, les couper en deux et retirer les graines ainsi que les parties blanches.

Couper en morceaux et faire bouillir avec la crème pendant 4 à 5 minutes.

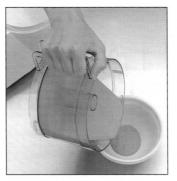

Passer au mélangeur.

Le Vin

Qu'y a-t-il de plus savoureux qu'un suprême de poulet? Un vin trop présent anéantirait cette jolie assiette, alors qu'un vin trop délicat ne la supporterait pas. Optons pour un blanc généreux et plein de sève.
Montagny 1er Cru, Louis Roche
Bianco di Torgiano, DOC, Lungarutti
Si on préfère le rouge, aucune objection! Optez alors pour un vin de Provence:
Ch. Tour de l'Évêque, AC Côtes de Provence, R. Sumeire (*) - il existe aussi en blanc.

Les beignets : Quand on procède à la confection des beignets, éviter de poser le mélange à fruits sur les bords des ronds des galettes de riz. La deuxième galette de riz posée sur le dessus n'aura plus contact et ne souderait plus naturellement.

Le sorbet : A ce côté pratique de se faire en quelques minutes. Éviter cependant de le conserver plusieurs jours ; il durcirait et perdrait sa saveur. Ne contient pas de sirop et est confectionné avec le fruit et son eau de végétation.

La sauce épicée : On peut passer la sauce dans un chinois. Cependant les zestes et les épices de cette sauce sont intéressants en goût et en exotisme dans l'assiette.

Beignets aux fruits r

sorbet aux pêches, sauce épicée

La cannelle : Merveilleuse. Dans le salé comme dans le sucré, elle s'accommode très bien, comme dans la présente recette de sauce épicée. La cannelle provient d'un arbuste appelé « cannelier », plus précisément de l'écorce de ses fines branches. On la connaît soit en bâton, soit moulue.

ges,

Pour quatre personnes :

Beignets :
- 15 fraises
- 15 framboises
- 15 mûres
- 60 ml (¹/₄ tasse) de sauce épicée
- 12 galettes de riz

Sorbet aux pêches :
- 300 g (10 oz) de pêches mûres tranchées, ensuite congelées
- 30 g (1 oz) de sucre
- ¹/₂ blanc d'oeuf

Sauce épicée :
- 500 ml (2 tasses) de vin rouge
- Zeste de 2 oranges
- Zeste de 2 citrons
- 1 bâton de cannelle
- 3 clous de girofle
- 10 grains de poivre
- 10 grains de coriandre
- 60 g (2 oz) de sucre
- 45 ml (2 c. à soupe) de crème de cassis

Pour la décoration :
- Sucre glace
- Quelques fruits
- Feuilles de menthe

Faire la sauce épicée en incorporant dans une casserole le vin rouge, le zeste d'oranges, le zeste de citrons, le bâton de cannelle, les clous de girofle, les grains de poivre, les grains de coriandre, le sucre et la crème de cassis. Réduire jusqu'au tiers. Garder au frais.

Faire le sorbet en passant au mélangeur les pêches tranchées congelées, le sucre et le demi-blanc d'oeuf. Broyer jusqu'à l'obtention d'une pâte gelée lisse. Conserver au congélateur.

Couper en très petits morceaux les fraises, les framboises et les mûres (en conserver quelques-unes pour la décoration des assiettes). Dans un bol, mélanger le tout avec quelques cuillerées de sauce épicée afin de lier le tout.

Farcir les beignets en trempant les galettes de riz dans l'eau tiède. Les égoutter et les déposer sur un linge humide. À l'aide d'un emporte-pièce, découper des formes rondes. Superposer deux galettes et y déposer au centre un peu de mélange aux fruits. Recouvrir et souder avec une autre galette. Laisser sécher quelques instants au réfrigérateur.

Cuire pendant quelques minutes dans une friture bien chaude. Égoutter sur un papier absorbant. Saupoudrer de sucre glace.

Verser la sauce dans le fond de chaque assiette. Déposer les beignets. Former les quenelles de sorbet aux pêches. Décorer avec les fruits et les feuilles de menthe.

Menu proposé :

Tour de moules et crevettes aux poireaux en galette de pommes de terre, sauce au persil

Blanc de pintade à la cardamome farci aux escargots

Beignets aux fruits rouges, sorbet aux pêches, sauce épicée

Tremper les galettes de riz
dans l'eau tiède.

Les égoutter et les déposer sur un linge
humide. À l'aide d'un emporte-pièce,
découper des formes rondes.

Superposer deux galettes et y
déposer au centre un peu de
mélange aux fruits.

Recouvrir et souder avec une
autre galette.

Le Vin

On pourrait opter pour un vin rouge, type Cabernet
Sauvignon. Mais sans doute qu'un vin plus doux, un vin
muté, c'est-à-dire auquel on aura ajouté de l'alcool en cours
de fermentation, est plus approprié. Il sera rouge, cependant.
Banyuls, Domaine Baillaury, rubis, AC (*)
Marsala, Fine Ruby, DOC (Italie) (*)
Muscat de Lunel, AC, Ch. Tour de Farge (*)

La framboise : Dans cette recette, les framboises peuvent très bien être remplacées par un autre petit fruit tel que les fraises, les mûres ou les bleuets.

La pâte filo : Les Grecs l'appellent Phyllo ou Fila. En Turquie, Youfka. En Arabie, Fillo. En grec, phyllo signifie feuille. Peu importe le nom, c'est toujours les mêmes feuilles de pâte fine utilisée pour envelopper autant de farces salées ou sucrées, en autant de formes, et qui, une fois cuite, vous donnera une pâte légère comme le vent et à la couleur dorée. Une fois à l'air libre, cette pâte a la désagréable réaction de dessécher très rapidement pour devenir alors inutilisable. Il faut donc prendre quelques précautions lors de la manipulation. D'abord, tous les ingrédients nécessaires à la farce doivent être sur la table de travail ainsi que le beurre fondu et le pinceau pour badigeonner. Dès que la pâte filo est sortie de son enveloppe de plastique et de son papier ciré, on doit procéder rapidement en badigeonnant chaque feuille avec le beurre fondu. Dépendant de la recette, on peut beurrer à toutes les deux feuilles d'épaisseur. Si on doit quitter la table de travail un court instant, recouvrir la pâte filo avec un linge humide ou bien rouler le tout et réemballer dans l'enveloppe de plastique.

Bonbons croustill[es]

aux framboises, sauce au Grand Ma[rnier]

Pendant la cuisson, cette pâte colore très rapidement. Si la couleur désirée est atteinte mais que la cuisson n'est pas complétée, recouvrir alors d'un papier d'aluminium. Dans certains cas, la pâte filo peut avantageusement remplacer la pâte feuilletée. La préparation sera alors plus légère, d'un goût « aérien » et d'une belle couleur dorée.

La crème pâtissière : Une fois la crème pâtissière terminée, ne pas oublier de parsemer un peu de beurre afin d'éviter la formation d'une croûte sur le dessus.

nts

ier

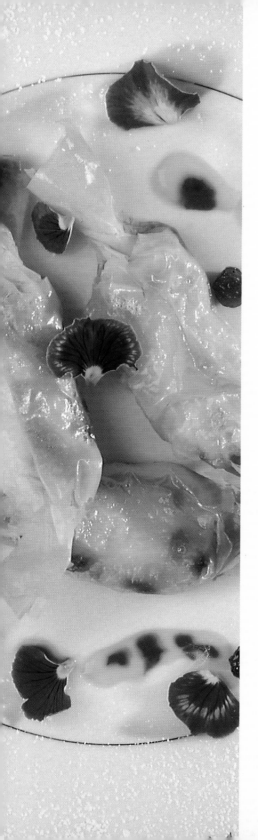

Pour quatre personnes :

- 30 g (1 oz) de raisins de Corinthe
- 80 ml (¹⁄₃ tasse) de Grand Marnier
- 4 feuilles de pâte filo
- 30 g (1 oz) de beurre fondu
- 15 g (¹⁄₂ oz) de poudre d'amande
- 120 g (4 oz) de framboises

Pour les crèmes pâtissière et anglaise :
- Voir Recettes de base. La moitié de ces deux recettes suffirait. Toutefois rien ne serait perdu si vous les faisiez en entier.

Pour la décoration :
- Quelques pétales de fleurs
- Quelques raisins de Corinthe
- Sucre glace

Imbiber les raisins de Corinthe dans la moitié du Grand Marnier pendant une quinzaine de minutes. Incorporer le reste du Grand Marnier à la crème pâtissière.
Prendre une feuille de pâte filo, la plier en deux et badigeonner de beurre avec un pinceau.
Couper cette feuille en 4. À l'intérieur de chaque feuille, parsemer de la poudre d'amande.
Ajouter une petite cuillerée de crème pâtissière, quelques raisins de Corinthe macérés et quelques framboises. Rouler en forme de bonbon. Cuire au four à 350 °F (175 °C) de 7 à 8 minutes. La pâte filo aura alors une belle couleur dorée.
Verser la sauce anglaise dans le fond de chaque assiette. Décorer avec les pétales de fleurs, les raisins de Corinthe et le sucre glace.

Menu proposé :

Ravioli de ris de veau à l'orientale
Blanc de morue aux gourganes et matignon d'endives
Bonbons croustillants aux framboises, sauce au Grand Marnier

Badigeonner la pâte filo.

Rouler en forme de bonbon.

*À l'intérieur de chaque feuille,
parsemer de la poudre d'amande.*

*Ajouter une petite cuillerée de
crème pâtissière, quelques raisins
de Corinthe macérés et quelques
framboises.*

Le Vin

*Quelques gouttes de liqueur de framboise sera certes le fin du
fin pour cette assiette, ou encore le Grand Marnier de la
sauce. Il faut oser! Même avec un vermouth rosé, pourquoi
pas?
Chambord, 23% alcool (*)
Grand Marnier, triple orange
Cinzano, rosé, 16% alcool (Italie)*

Peut-être un peu étrange ce dessert avec de l'estragon et une sauce au safran. Dosez subtilement l'infusion d'estragon qui ne devrait pas durer plus de 10 minutes. Même chose pour le safran dont le goût ne doit pas être dominateur. Ce dessert doit être un mariage égal estragon-safran-sucre.

La sauce au safran : Dans cette recette, cette sauce est faite à partir d'une crème anglaise. La cuisson « à la nappe », comme expliqué dans la recette de la crème anglaise, est une technique délicate. S'il vous arrivait de trop la cuire, il vous restera un moyen pour la récupérer, soit verser la crème dans un mélangeur électrique et laisser tourner pendant quelques minutes à grande vitesse. Elle retrouvera alors presque le velouté auquel on aurait dû s'attendre à l'origine.

Crème à l'estrago

sauce au safran

La cassonade : Sucre brut de canne, généralement cristallisé. Son léger parfum de rhum aromatise plusieurs desserts. Laissez-la brunir ou caraméliser sous le gril, c'est délicieux.

Le papier sulfurisé ou papier ciré : On peut s'en servir pour tapisser le fond de la plaque lors de la cuisson des crèmes afin d'éviter que l'eau de cuisson saute dans les pots ou si, par mégarde, l'eau arrivait à ébullition.

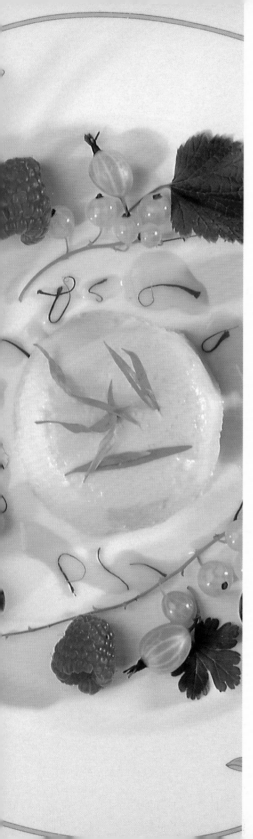

Pour quatre personnes :

- 175 ml ($^2/_3$ tasse) de lait
- 2 branches d'estragon
- 325 ml ($1^1/_3$ tasse) de crème 35 %
- 60 g (2 oz) de sucre
- 3 jaunes d'oeuf
- 2 oeufs entiers
- 30 g (1 oz) de cassonade

Pour la sauce au safran :

- 250 ml (1 tasse) de lait
- 10 pistils de safran
- 3 jaunes d'oeuf
- 60 g (2 oz) de sucre

Pour la décoration :

- Fruits de saison (groseilles, bleuets, fraises, physalis, myrtilles, framboises, mûres)
- Feuilles d'estragon

Faire chauffer le lait. Renfermer les feuilles d'estragon dans une toile à fromage. Retirer le lait du feu et laisser infuser l'estragon dans le lait pendant 10 minutes. Retirer la poche d'estragon.

Mélanger délicatement le lait, la crème, le sucre, les jaunes d'oeuf et les oeufs entiers. Éviter la formation de mousse. Remplir 4 ramequins de 8 cm ($3^1/_4$ po).

Tapisser le fond d'une plaque allant au four avec une feuille de papier sulfurisé (ciré). Disposer les ramequins sur la plaque et la remplir d'eau chaude jusqu'à mi-hauteur des pots.

Cuire au four à 300 °F (140 °C) de 30 à 35 minutes.

Faire la sauce au safran en faisant d'abord bouillir le lait avec les pistils de safran. Retirer du feu.

Fouetter les jaunes d'oeuf avec le sucre et ajouter le lait graduellement sans cesser de battre.

Verser le tout dans une casserole et cuire à feu doux en remuant avec une cuillère de bois, sans jamais atteindre l'ébullition ; celle-ci ferait tourner la sauce.

Au moment de servir, démouler, parsemer la cassonade sur les crèmes et passer sous le gril jusqu'à ce que la sauce se colore.

Verser la sauce au safran dans le fond de chaque assiette. Déposer la crème au centre. Décorer avec les fruits de saison et les feuilles d'estragon.

Menu proposé :

Huîtres au caviar de saumon et brouillade d'oeufs au saumon fumé
Filet d'agneau sous croûte dorée
Crème à l'estragon, sauce au safran

Faire la sauce au safran en faisant bouillir le lait avec les pistils de safran.

Verser le tout dans une casserole et cuire à feu doux en remuant avec une cuillère de bois. Cuire «à la nappe».

Dans un bol, fouetter les jaunes d'oeuf avec le sucre.

Le Vin

L'extravagance est de rigueur, mais quel plaisir pour les papilles! Le vin ne doit pas être en reste. Ce ne sera pas du vin, mais encore des boissons aromatisées qui viendront compliquer les choses...
Bartisol blanc sec, Cusenier
Élixir végétal, Grande Chartreuse, L. Garnier (*)

Ajouter le lait graduellement sans cesser de battre.

La pâte à tulipe : Lorsqu'on étale la pâte à tulipe sur la plaque anti-adhésive, on doit la rendre mince de façon à apercevoir la plaque à travers la pâte. Le mouvement qui suit la fin de la cuisson et qui permet de transférer et transformer les ronds de pâte en tulipe doit être fait rapidement. Dans le cas contraire, la pâte, en refroidissant, ne permettrait plus une forme adéquate et se briserait.

La mûre : Le fruit de la ronce sauvage est un fruit rouge, presque noir. De consistance assez ferme, on s'en sert pour préparer des marmelades, des confitures, des gelées et même de la liqueur. On est parvenu à cultiver une variété de ronces communes que nous trouvons facilement sur nos étalages de fruits et légumes.

Fraises au poivre
en tulipe, jus de mûre

Le coulis de fruits : Pour qu'un coulis de fruits soit très brillant, il est préférable d'utiliser du sucre à glacer plutôt que du sucre ordinaire. Un filet de jus de citron en relèvera le goût. Préparé la veille, il n'en sera que meilleur.

Consistance et saveur : Tout juste avant de déposer les fraises tièdes, je vous propose un harmonieux mariage de consistance et saveur en ajoutant une boule de crème glacée au caramel ou simplement à la vanille. Alors là !...

Pour quatre personnes :

Pour les tulipes :
- 120 g (4 oz) de sucre
- 90 g (3 oz) de farine
- 90 g (3 oz) de beurre fondu
- 3 blancs d'oeuf

Pour le jus de mûres :
- 300 g (10 oz) de mûres
- 20 g ($^2/_3$ oz) de sucre à glacer
- Jus d'un demi-citron

Pour les fraises au poivre :
- 450 g (1 lb) de fraises
- 15 g ($^1/_2$ oz) de beurre
- 5 g ($^1/_3$ c. à soupe) de poivre noir concassé
- 30 g (1 oz) de sucre
- 50 ml (3 c. à soupe) de Grand Marnier
- 125 ml ($^1/_2$ tasse) de jus d'orange

Pour la décoration :
- Feuilles de menthe
- Brisures de pistaches (facultatif)

Préparer la pâte à tulipe en mélangeant dans un bol, à l'aide d'un fouet, le sucre et la farine. Ajouter ensuite le beurre fondu et les blancs d'oeuf. À l'aide d'une spatule, dresser des ronds de pâte très minces sur une plaque anti-adhésive. Cuire au four à 375 °F (185 °C). Quelques instants suffiront pour que la pâte prenne une belle couleur, suffisamment blonde. Retirer alors du four. À l'aide d'une spatule, prendre les ronds de pâte et les retourner sur une tasse ou un verre. À l'aide d'un linge, presser de manière à leur donner la forme d'une tulipe. Laisser refroidir et conserver au frais.

Préparer le jus des mûres en les déposant dans le mélangeur avec le sucre à glacer et le jus d'un demi-citron. Réserver au frais.

Équeuter et couper les fraises en deux. Faire fondre le beurre dans une poêle et faire sauter les fraises de 1 à 2 minutes. Ajouter le poivre concassé, le sucre, le Grand Marnier et le jus d'orange. Retirer les fraises. Laisser épaissir le jus en le laissant cuire quelques minutes.

Verser le jus de mûres dans chaque assiette. Déposer la tulipe au milieu et la remplir de fraises. Arroser de jus de cuisson. Décorer avec les feuilles de menthe et les brisures de pistaches.

Menu proposé :

Foie gras chaud, pommes sautées, saveur de porto

Dorade fraîche en croûte de saumon fumé, pesto aux tomates séchées

Fraises au poivre en tulipe, jus de mûres

À l'aide d'une spatule, dresser des ronds de pâte très minces sur une plaque anti-adhésive.

Garnir avec les fraises au poivre.

Cuire au four à 375 °F (185 °C). Quelques instants suffiront. À l'aide d'une spatule, prendre les ronds de pâte et les retourner sur une tasse ou un verre.

Le Vin

Si vous n'avez jamais goûté cette assiette, n'hésitez pas, c'est tout simplement sublime. Un vin doux ou une jolie liqueur fruitée feront un mariage sans raison.
Monbazillac, Ch. Le Barradis (*)
Petite Liquorelle, 200 ml, Moët & Chandon (*)

À l'aide d'un linge, presser de manière à leur donner la forme d'une tulipe.

Le travail d'un cuisinier est éphémère, mais il lui procure tellement d'agréables moments!

Le litchi : Aussi appelé cerise noire, le litchi est cultivé en Chine depuis plus de deux mille ans. De nos jours, il est cultivé dans de nombreux pays asiatiques évidemment, mais aussi en Israël, au Mexique et en Floride.

Le litchi a une chair translucide, blanc nacré, très juteuse, rafraîchissante et très sucrée.

Il est recouvert d'une coque hérissée et a un noyau en son centre. On le trouve presqu'à longueur d'année. Selon une tradition, on les offre en guise de porte-bonheur au Nouvel An chinois.

Si vous devez utiliser des litchis en boîte, conservez $1/2$ tasse de jus auquel vous ajouterez le saké, mais pas de sucre, et laisserez infuser 10 minutes.

Gratin de litchis
au sabayon de ginge

Le sabayon : Ayez un bon bras...ou deux...ou un assistant prêt à vous relayer. Un fouet souple avec un bol (cul-de-poule) en acier inoxydable vous permettront de faire un meilleur travail. Un batteur électrique peut aider. Évitez que l'eau bouillante du bain-marie n'entre en contact avec le fond, mais surtout évitez l'ébullition, sans quoi vous aurez un début d'oeuf brouillé. Le passage sous le gril est facultatif. La présentation sera plus appétissante, mais le goût changera légèrement.

Confire : Confire des fruits peut être un travail de longue haleine. Cette méthode, qui permet de conserver certains aliments, a pour but de remplacer leur humidité naturelle par du sucre. Cette opération peut durer jusqu'à deux semaines pour certains fruits tels les marrons glacés. Utiliser seulement les fruits à chair ferme. La chair tendre des fraises ou framboises ne supporte pas une longue macération.

L'opération consiste à tremper et laisser macérer à température de la pièce le fruit déjà cuit ou poché. Dans un sirop préalablement cuit (jus de fruits cuit avec du sucre : pour 250 ml (1 tasse) de jus, ajouter 200 g (7 oz) de sucre).

Le lendemain, le fruit trempé est égoutté. On cuit de nouveau le sirop récupéré en ajoutant du sucre et on répète l'opération.

Dans le cas du gingembre confit, l'opération est plus courte. Le gingembre pelé et coupé en lamelles macérera 24 heures dans un sirop concentré fait avec 60 ml ($1/4$ tasse) d'eau et 100 g (3 $1/3$ oz) de sucre. L'égoutter et laisser sécher dans un four à feu doux environ une heure.

re

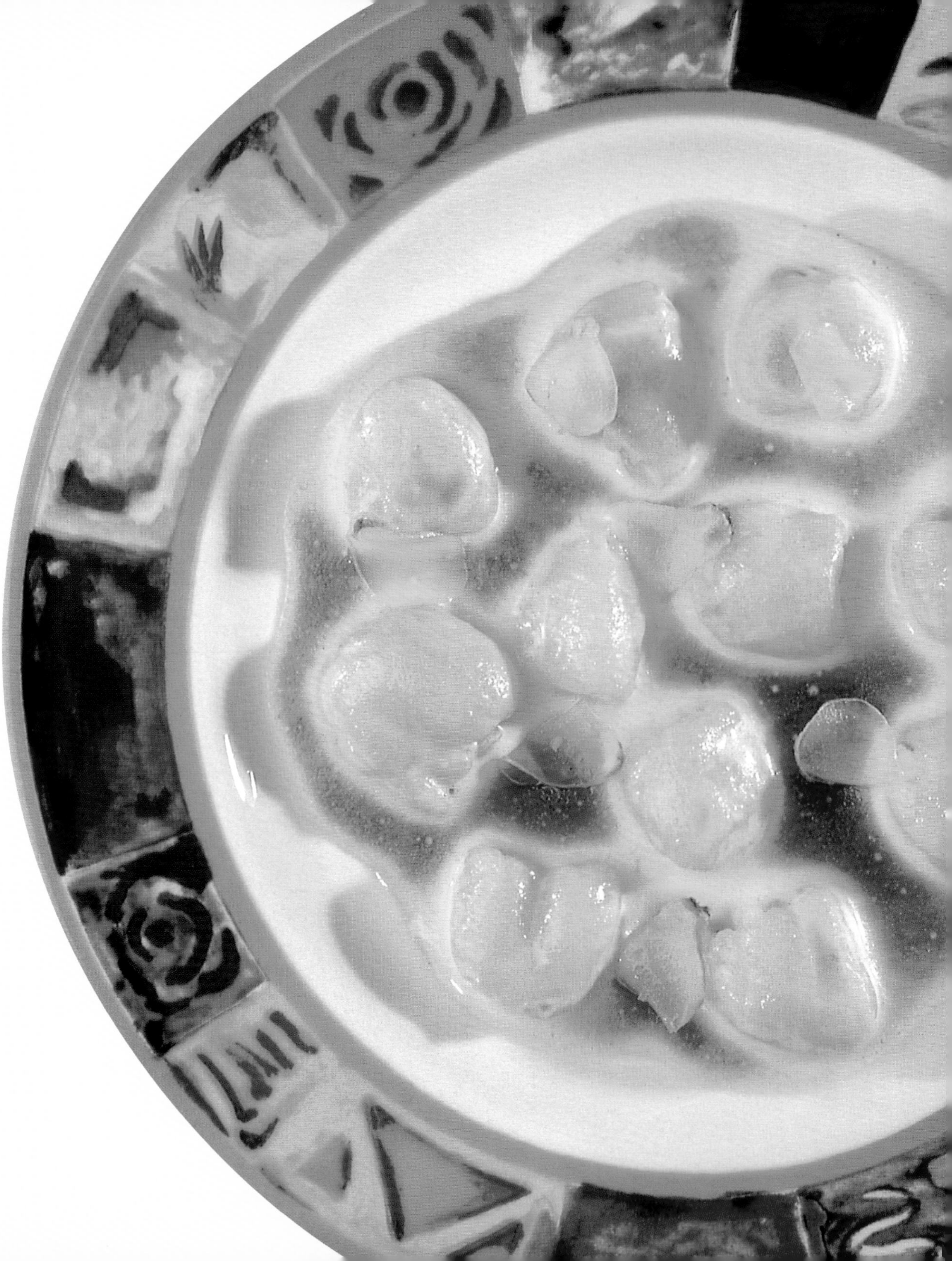

Pour quatre personnes :

- 32 litchis
- 1 petit tubercule de gingembre frais
- 125 ml ($^1/_2$ tasse) de vin blanc
- 30 g (1 oz) de sucre
- 30 ml (2 c. à soupe) de saké

Pour le sabayon :
- 3 jaunes d'oeuf à la température de la pièce
- 30 g (1 oz) de sucre

Pour la décoration :
- Tranches de gingembre confites

Éplucher le gingembre et le tailler en rondelles fines.

Enlever l'écorce des litchis et les dénoyauter en les coupant en deux.

Dans une casserole, porter à ébullition le vin blanc, le sucre et le saké. Ajouter les litchis et le gingembre. Retirer du feu. Laisser infuser pendant 10 minutes.

Dresser les litchis dans quatre assiettes creuses et verser un peu de jus (en conserver pour le sabayon).

Pour le sabayon, mettre les jaunes d'oeuf dans un bol à mélanger. Incorporer le sucre ainsi que 30 ml (2 c. à soupe) de jus de cuisson. Mélanger énergiquement au fouet au-dessus d'un bain-marie. Éviter de cuire à trop haute température, ce qui entraînerait la cuisson des oeufs. Lorsque ce mélange atteint une consistance crémeuse, répartir le sabayon sur les litchis.

Gratiner sous le gril jusqu'à ce que la surface prenne une jolie coloration. Ajouter le gingembre. Servir aussitôt.

Inspiré de Laura L. Martinez

Menu proposé :

Soupe de crabe à la vanille
Filet de boeuf à la saveur de sirop d'érable et moutarde de Meaux,
fenouil braisé et pommette
Gratin de litchis au sabayon de gingembre

Pour le sabayon, mettre les jaunes d'oeuf dans un bol.

Lorsque ce mélange atteint une consistance crémeuse, répartir le sabayon sur les litchis.

Incorporer le sucre ainsi que le jus de cuisson.

Mélanger énergiquement au fouet au-dessus d'un bain-marie.

Le Vin

Tant qu'à être exotiques, ne ratons pas l'occasion. Le litchi, de la famille de sapindacées, s'accommodera d'une boisson tout aussi surprenante, d'autant plus que le litchi est au gingembre. Si vous trouvez du vin de gingembre, de Stone's, ce pourrait être intéressant...sinon...Saké...ou bien alors, il faut oser...
Charleston Folies, liqueur de fruits (*)
Offley, Porto Rei, Forrester (Portugal)

Le chocolat : Lorsqu'on ramollit le chocolat dans le bain-marie, il faut être attentif car la température doit rester faible, c'est-à-dire que le chocolat ne doit pas dépasser une température supportable au toucher des lèvres.

Les copeaux de chocolat se font très facilement à partir d'un gros morceau de chocolat et à l'aide d'un couteau-éplucheur ou encore mieux d'un couteau bien aiguisé ou d'une râpe à fromage.

Mille-feuilles au cho

et physalis au sirop

Les physalis : Alkékenge, cerise d'hiver, coqueret, ou encore l'appellation poétique « amour en cage » sont autant de noms pour désigner ce petit fruit originaire du Mexique. Dans ce pays, il est même appelé « tomate du Mexique ». De couleur jaune et de la grosseur d'une petite cerise, il appartient à la même famille que les tomates et les pommes de terre. Enveloppé d'un « calice parcheminé », sa saveur est aigre-douce. Il est disponible sur nos marchés.

Pour la décoration, nous utilisons les physalis frais en retroussant délicatement le fin parchemin en forme de flamme qui recouvre le fruit.

L'orange : Elle a vu le jour en Chine. Le Château de Versailles avait son orangerie où les jardiniers de Louis XIV avaient mis au point un procédé destiné à renforcer le parfum de l'orange en retardant sa floraison.

De Floride, Californie, Arizona ou Mexique. On peut identifier deux classifications : les oranges amères et les oranges sucrées. De là découlent de nombreuses variétés. Sachons que l'orange contient de la vitamine C excellente pour la santé. Certains disent même que si vous en mangez régulièrement vous obtiendrez une belle peau.

lat

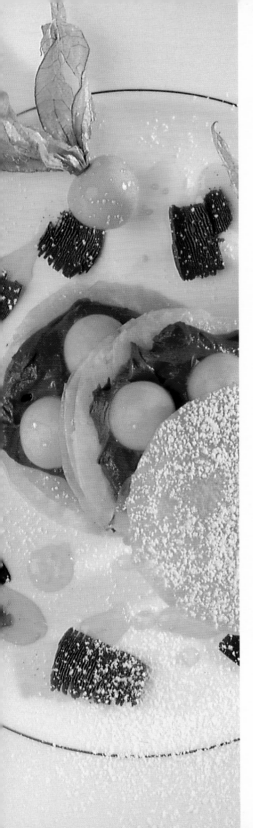

Pour quatre personnes :

Pour la pâte :
- 4 feuilles de pâte filo
- 30 g (1 oz) de beurre

Pour la sauce :
- 32 physalis épluchés
- 175 ml ($^3/_4$ tasse) de vin blanc
- 175 ml ($^3/_4$ tasse) de jus d'orange
- 150 g (5 oz) de sucre
- 15 ml (1 c. à soupe) de miel
- 45 ml (3 c. à soupe) de cointreau
- Zeste d'une orange

Pour la mousse au chocolat :
- 125 g (4 oz) de chocolat noir amer
- 2 jaunes d'oeuf
- 30 ml (2 c. à soupe) de vin blanc
- 175 ml ($^3/_4$ tasse) de crème 35 %

Pour la décoration :
- 8 physalis entiers
- Copeaux de chocolat
- Sucre glace

Avec un pinceau, badigeonner de beurre fondu chaque feuille de pâte filo. Les superposer les unes sur les autres. Couper 12 ronds à l'aide d'un emporte-pièce de 9 cm (3 po) de diamètre. Placer chaque paquet de filo sur une plaque à pâtisserie et cuire quelques minutes dans un four à 375 °F (185 °C) jusqu'à l'obtention d'une coloration dorée.

Mélanger le vin blanc, le jus d'orange, le sucre, le miel et cuire les physalis dans ce mélange pendant 5 minutes. Les retirer et les garder au froid. Ajouter le cointreau et le zeste d'orange dans le liquide de cuisson et laisser réduire de moitié, jusqu'à l'obtention d'une sauce sirupeuse. Laisser refroidir.

Faire la mousse au chocolat en faisant ramollir le chocolat dans un bain-marie. Dans un autre bain-marie, monter les jaunes d'oeuf avec le vin blanc (comme un sabayon) jusqu'à l'obtention d'un mélange crémeux. Retirer du feu. Incorporer ensuite le chocolat noir. Fouetter la crème et l'incorporer à la préparation de chocolat.

Déposer un rond de filo dans chaque assiette et recouvrir de mousse au chocolat. Placer 4 physalis dans la mousse. Déposer un autre rond de filo et répéter l'opération. Verser la sauce sirupeuse autour de l'assiette. Décorer avec 2 physalis entiers, les copeaux de chocolat et le sucre glace.

Menu proposé :

Brochette d'escargots aux raisins, polenta, sauce d'été
Pétoncles à l'orange et au poivre vert
Mille-feuilles au chocolat et physalis au sirop

Dresser l'assiette en y déposant un rond de filo.

Répéter l'opération.

Recouvrir de mousse au chocolat.

Le Vin

On a souvent dit que le chocolat se marie difficilement avec le vin. Mais goûtez donc une jolie liqueur ou un vin muté, vous en serez ravis!
Chocolat Royal, Marie Brizard (*)
Maury, 6 ans, AC, les Vignerons de Maury (*)
• Pineau des Charentes, AC, Rés. Ruby, Ch. de Beaulon (*)

Placer 4 physalis dans la mousse.

«Même fou, le cuisinier est un manuel.» (Henri Gault)

Plat simple dont je ferais un repas par gourmandise avec la même chose avant, la même chose après, le tout arrosé d'une bonne bouteille de porto.

Les figues : Il existe environ 700 variétés de figues. Les plus connues sont les blanches et les violettes. Les choisir mûres et légèrement molles. Elles seront alors sucrées, gorgées de soleil. Elles apporteront beaucoup de saveur à votre préparation.

Le gorgonzola : Magnifique fromage italien. Ne pas confondre avec le cambozola qui est un fromage allemand tout aussi succulent. Le gorgonzola est un fromage à pâte molle, parsemé de rainures vertes produites par la croissance de moisissure. Il tire son nom de la petite ville du même nom dans le Nord de l'Italie.

Tarte chaude aux pom et aux figues, gorgonzola et larme de porto

Dès que la tarte sort du four, ne pas attendre. La douceur de la tarte tiède, accompagnée de la saveur légèrement piquante du gorgonzola et la réduction de porto, est toute une expérience d'assemblage de goût, d'alliance pour le plaisir de tous les sens.

nes

Pour quatre personnes :

- 4 pommes (Spartan ou Cortland)
- 4 figues
- 60 ml (3 c. à soupe) de porto
- 4 ronds de pâte feuilletée de 10 cm (4 po) de diamètre (voir recette Tatin aux poires)
- 60 g (2 oz) de compote de pommes
- 30 g (1 oz) de beurre
- 30 g (1 oz) de marmelade d'oranges
- 120 g (4 oz) de gorgonzola

Pour la décoration :
- 2 figues
- Quelques gouttes de marmelade d'oranges

Dans une casserole, réduire le porto de moitié.

Étendre la compote de pommes dans le fond de chaque rond de pâte.

Peler et épépiner les pommes. Les trancher d'une épaisseur de 2 mm. Trancher les figues.

Déposer en alternance les tranches de pommes et de figues sur la compote de pommes.

À l'aide d'un pinceau, badigeonner de beurre le dessus des pommes et des figues et cuire au four à 350 °F (175 °C) pendant 10 minutes.

Chauffer légèrement la marmelade d'oranges et l'étendre délicatement sur la tarte cuite.

Couper en deux les deux figues pour la décoration. Les trancher ensuite en fines lamelles de manière à faire un éventail.

Placer la tarte dans le fond de chaque assiette. Ajouter la tranche de gorgonzola. Verser la réduction de porto. Quelques gouttes de marmelade d'oranges et l'éventail de figues.

Menu proposé :

Tartare de pétoncles en robe de truite
Selle de chevreuil en robe de pommes de terre et graines de marron
Tarte chaude aux pommes et aux figues, gorgonzola et larme de porto

Peler et épépiner les pommes. Les trancher d'une épaisseur de 2 mm. Trancher les figues.

Étendre la compote de pommes.

Déposer en alternance les tranches de pommes et de figues.

À l'aide d'un pinceau, badigeonner de beurre.

Le Vin

Pourquoi pas un bon cidre de chez nous. Faites-en la découverte, soit en Montérégie ou dans votre voisinage. La Cidrerie de Saint-Nicolas, près de Québec, offre un excellent produit, tranquille ou mousseux.
Pommeau de Sainte-Anne (*)
Porto Ramos-Pinto (Portugal)

La tatin : Ce dessert peut très bien être confectionné avec un autre fruit telle la traditionnelle tatin aux pommes. On peut aussi essayer avec des abricots, des pêches, des papayes et autres.

La poire : Il est conseillé de citronner les poires lorsqu'on les épluche, ceci afin d'éviter qu'elles noircissent.

La poire nous vient de Chine et il en existe une centaine de variétés dont une vingtaine sont réellement commercialisées. Très bon fruit au point de vue santé, car très faible en acidité. Elle convient aux estomacs les plus fragiles. Sa chair contient de nombreux sels minéraux et son sucre est même assimilable par les diabétiques.

Tatin aux poires

La pâte feuilletée : La pâte feuilletée, qui est à la base de tant de préparations, est l'oeuvre accidentelle d'un apprenti pâtissier lorrain du nom de Claude Gellée. Alors qu'il doit préparer une pâte au beurre, il oublie d'incorporer ce dernier. Il pose alors le beurre sur la table, replie les bords pour l'emprisonner et aplatit le tout plusieurs fois de façon à bien intégrer la matière grasse. À la cuisson, la pâte gonfle. Le principe du feuilletage est trouvé. Longtemps il garda son secret, mais après de longs espionnages, sa technique finit par se reprendre. Le hasard veut que ce pâtissier rencontre un peintre allemand, ce qui lui permet de réaliser son rêve, peindre. Il abandonne la pâtisserie et devient rapidement un paysagiste réputé.

Le sorbet : Il est difficile de donner le temps du broyage en pâte gelée. On le voit quand même assez rapidement. Si le broyage est trop long, le mélange se liquéfiera, ce qui est à éviter. Cette méthode peut également être utilisée avec d'autres fruits tels les framboises, les bleuets, les pêches et autres.

Pour quatre personnes :

- 6 poires
- 1 citron
- 50 g (2 oz) de beurre
- 60 ml (¹/₄ tasse) de sucre
- Une pincée de cannelle
- 4 ronds de pâte feuilletée

Sorbet aux fraises :
- 250 g (8 oz) de fraises congelées
- 30 g (1 oz) de sucre
- ¹/₂ blanc d'oeuf
- Quelques gouttes de jus de citron

Pour la décoration :
- Coulis de fraises
- Feuilles de menthe

Confectionner le sorbet en passant au mélangeur les fraises, le sucre, le blanc d'oeuf et le jus de citron. Broyer jusqu'à ce que les fraises forment une pâte gelée. Conserver au congélateur jusqu'au moment de servir.

Éplucher les poires, les citronner, les couper en deux, les épépiner et les trancher. Dans une poêle anti-adhésive, faire fondre le beurre. Ajouter le sucre, la cannelle et les poires tranchées. Laisser quelques minutes jusqu'à ce que le fruit devienne moelleux et que le sucre commence à caraméliser. Retirer du feu et laisser refroidir. Remplir 4 ramequins avec les poires caramélisées. Couper 4 ronds de pâte feuilletée, préalablement piquée, de la grandeur du ramequin et les placer sur les poires. Cuire au four 20 minutes à 375 °F (185 °C).

Dans l'assiette, déposer la tatin tiède avec la pâte feuilletée sur la surface de l'assiette. Ajouter 2 quenelles de sorbet. Décorer avec le coulis de fraises et quelques feuilles de menthe.

Menu proposé :

Gaspacho rafraîchi d'épinards, crevettes au beurre et têtes de violon, huile de noisette
Suprême de poulet au sésame et poivron doux
Tatin aux poires

Dans un mélangeur, déposer les fraises gelées.

Former les quenelles à l'aide de cuillères.

Ajouter le sucre...

Le Vin

Les soeurs Tatin seraient ravies qu'on prépare leur célèbre tarte à la poire. Aussi trouvera-t-on tout à fait approprié de goûter une brillante liqueur à la poire, sinon, un vin doux mousseux d'Italie ou l'incomparable Moscatel du Portugal.
Belle de Brillet, Poire au Cognac (*)
Asti Spumante, Martini Rossi, DOC
Moscatel de Setúbal, da Fonseca (Portugal) (*)

...le blanc d'oeuf et le jus de citron. Broyer jusqu'à ce que les fraises forment une pâte gelée.

Impossible de cuisiner sans amour. Même si l'amour est sensé être aveugle, il doit être un aveugle extra lucide.

Table des matières

PRÉFACE   4

INTRODUCTION   5

RÉFLEXIONS   6

UN MATÉRIEL APPROPRIÉ   9

LES FINES HERBES   12

LES TERMES CULINAIRES   16

BIOGRAPHIE   20

LE VIN   22

RECETTES DE BASE   23

LES ENTRÉES FROIDES
• Aiguillettes de canard fumé et frais, ratatouille tiède   28
• Salade folle de foies de volaille et fromage de chèvre,   32
  vinaigrette au pamplemousse
• Tartare de pétoncles en robe de truite   36

LES ENTRÉES CHAUDES
• Brochette d'escargots aux raisins, polenta, sauce d'été   40
• Foie gras chaud, pommes sautées, saveur de porto   44
• Huîtres au caviar de saumon et brouillade d'oeufs   48
  au saumon fumé
• Ravioli de ris de veau à l'orientale   52
• Tour de moules et crevettes aux poireaux en galette de pommes 56
  de terre, sauce au persil

LES SOUPES
• Gaspacho rafraîchi d'épinards, crevettes au beurre   60
  et têtes de violon, huile de noisette
• Soupe de crabe à la vanille   64

LES POISSONS ET CRUSTACÉS
- Blanc de morue aux gourganes et matignon d'endives   68
- Dorade fraîche en croûte de saumon fumé,
  pesto aux tomates séchées   72
- Filet de truite aux linguini multicolores, sauce au raifort,
  radis au pineau   76
- Lasagne de homard au pavot   80
- Mille-feuilles de flétan à la brunoise de légumes,
  sauce au safran   84
- Pétoncles à l'orange et au poivre vert   88
- Scampi en habit vert au Beaumes-de-Venise   92
- Tresse de sole et saumon au gingembre   96
- Wellington de poisson   100

LES VIANDES ET VOLAILLES
- Blanc de pintade à la cardamome farci aux escargots   104
- Filet d'agneau sous croûte dorée   108
- Filet de boeuf à la saveur de sirop d'érable
  et moutarde de Meaux, fenouil braisé et pommette   112
- Médaillon de veau au jus de carottes, tarte à l'aubergine   116
- Râble de lapin au miel et au poireau   120
- Selle de chevreuil en robe de pommes de terre et graines
  de marron   124
- Suprême de poulet au sésame et poivron doux   128

LES DESSERTS
- Beignets aux fruits rouges, sorbet aux pêches, sauce épicée   132
- Bonbons croustillants aux framboises,
  sauce au Grand Marnier   136
- Crème à l'estragon, sauce au safran   140
- Fraises au poivre en tulipe, jus de mûres   144
- Gratin de litchis au sabayon de gingembre   148
- Mille-feuilles au chocolat et physalis au sirop   152
- Tarte chaude aux pommes et aux figues, gorgonzola
  et larme de porto   156
- Tatin aux poires   160

Remerciements

Je voudrais remercier toutes les personnes qui m'ont facilité la réalisation de ce livre.

D'abord mes collègues cuisiniers au Château Frontenac, spécialement les sous-chefs Alex Arbaut, Yves Chrétien et Patrick Turcot.

L'administration du Château et plus particulièrement Philippe Borel pour sa confiance.

Catherine Gervais pour sa patience, sa discipline, son côté rigoureux et professionnel à corriger et dactylographier mon manuscrit.

Jean-Gilles Jutras, un amoureux des bonnes choses et surtout du vin, pour ses bons conseils, sa gentillesse et ses beaux mariages vins et mets.

Pour les magnifiques assiettes, Geneviève et Josée de la Maison de Josée à Sillery, Manon Blondeau de L'Exclusive à Québec et Madame Béland de Stokes, Place Québec à Québec.

Merci aussi à Paule Savary de la Maison Gallo, et à Luc Provencher pour les Maisons de Valcourt et Mondavi.

Et tous ceux, quelques amis et personnes proches qui, sans le savoir, m'ont inspiré, aidé, écouté, parlé et encouragé.

Puis infiniment merci à Marie et Catherine.